RYSZARD

KAPUŚCIŃSKI

Busz po polsku

REDAKCJA KOLEKCJI:
Bożena Dudko, Mariusz Szczygieł

PROJEKT GRAFICZNY:
Krystian Rosiński, Maciej Kałkus

SKŁAD I ŁAMANIE:
Edward Jewdokimow

FOTOEDYCJA:
Patrycja Trawińska

FOT. OKŁADKA:
© Tadeusz Rolke / Agencja Gazeta
© urbandirty.com

KOREKTA:
Anna Lassota

PRODUCENT WYDAWNICZY:
Robert Kijak, Małgorzata Skowrońska

KOORDYNACJA PROJEKTU:
Katarzyna Kubicka

Projekt zrealizowano we współpracy
z Agencją Literacką Puenta Czesław Apiecionek

ISBN 978-83-7552-113-9
ISBN SERII 978-83-7552-127-6 (seria)

DRUK I OPRAWA:
Druk-Intro SA, TZG Zapolex

Warszawa 2008

Wydanie VII

RYSZARD

KAPUŚCIŃSKI

Busz po polsku

BIBLIOTEKA GAZETY WYBORCZEJ

W Polsce, czyli w buszu

W wydawnictwie „Czytelnik" ukazała się większość dzieł Ryszarda Kapuścińskiego – 18 tytułów. Debiut pisarza – „Busz po polsku" z 1962 roku – wspomina jego redaktorka

BARBARA CHLABICZ

Kiedy Ryszard Kapuściński pojawił się w 1962 roku w Czytelniku, byłam początkującą adeptką sztuki edytorskiej, tuż po studiach polonistycznych na Uniwersytecie Warszawskim.

Ryszard - wówczas młody dziennikarz, ale już z renomą człowieka podróżującego zawodowo po egzotycznych rejonach świata - wpadł ubrany w dżinsy i szaroniebieską sportową koszulę. Uśmiechał się do nas, kilkuosobowego zespołu ówczesnej Redakcji Pamiętników i Publicystyki, tak jakbyśmy już się znali, a nawet byli zaprzyjaźnieni, i zaczął rozmowę z naszym szefem Kazimierzem Bidakowskim o możliwości wydania zbioru swoich reportaży o tematyce krajowej.

Nie wiedzieliśmy wówczas, że ten miły bezpośredni chłopak zrobi światową karierę, a ja nie przypuszczałam, że będzie mi dane cieszyć się Jego przyjaźnią przez ponad czterdzieści lat i redagować większość Jego książek.

Decyzję o wydaniu reportaży Ryszarda Kapuścińskiego Wydawnictwo podjęło z przekonaniem o ich aktualności i wartościach dokumentujących ówczesną polską rzeczywistość oraz o bezsprzecznych walorach literackich. Schody - mówiąc kolokwialnie - zaczęły się później, kiedy opracowanemu tekstowi zaczęła przyglądać się cenzura. Już tytuł *Busz po polsku* budził czujność polityczną cenzorów. Wizyty szefa redakcji na ulicy Mysiej w Warszawie (w siedzibie Głównego Urzędu Kontroli Prasy, Publikacji i Widowisk) stały się koniecznością. Obraz polskiej rzeczywistości przedstawiony bez obowiązującego, zadekretowanego odgórnie hurraoptymizmu, a przeciwnie – z rzetelnością i... troską – był trudny do zaakceptowania przez strażników ideologii.

Wreszcie dzięki sile perswazji i determinacji Kazimierza Bidakowskiego, późniejszego zastępcy redaktora naczelnego S.W. „Czytelnik", pierwsza książka Ryszarda pojawiła się w księgarniach. Zdobyła ona wówczas, i zdobywa do dziś licznych czytelników.

Wspaniale przyjęła ją młoda publiczność, a wiem z wielu rozmów z Ryszardem, że młodzi czytelnicy byli Mu szczególnie bliscy.

Chociaż późniejsze dokonania Pisarza – znane na całym świecie Jego książki: *Cesarz, Szachinszach, Heban* czy *Imperium* – pozostawiły *Busz...* nieco w cieniu, Ryszard był przywiązany do tego pierwszego zbioru reportaży jak do dziecka pierworodnego. Zawsze cieszył się, kiedy pod wpływem sugestii księgarzy, odpowiadających na życzenia czytelników, Wydawnictwo wznawiało ten zbiór.

Busz... był wydawany pięciokrotnie, z uwzględnieniem zmian wprowadzanych przez Autora. Po raz piąty – w czterotomowej edycji utworów Kapuścińskiego pt. *Wrzenie świata*, która ukazała się w roku 1990.

Było to ostatnie wydanie opublikowane za Jego życia. Ryszard umieścił w nim napisany w latach osiemdziesiątych bardzo osobisty – przejmujący w warstwie autobiograficznej i przepełniony życiową mądrością w sferze refleksyjnej – tekst zatytułowany *Ćwiczenia pamięci*. Po raz pierwszy ukazał się po niemiecku w przekładzie Martina Pollacka w specjalnej antologii *Das Ende (Koniec)*, przygotowanej z okazji 40. rocznicy zakończenia II wojny światowej przez zachodnioniemieckie wydawnictwo Kiepenheuer & Witsch obok tekstów pisarzy tej miary, jak Heinrich Böll, Lew Kopolew czy Sadako Kurihara.

Busz po polsku reprezentuje kategorię literacką określaną nieprecyzyjnie mianem reportażu literackiego. W swojej dalszej twórczości Ryszard Kapuściński rozwinął tę formułę, konstruując z elementów fabuły literackiej, wątków wspomnieniowych, materiałów reporterskich oraz eseistyki dzieła stanowiące artystyczną całość najwyższej próby.

BARBARA CHLABICZ

BARBARA CHLABICZ – całe życie zawodowe związana z Wydawnictwem „Czytelnik".
W latach 1976-1992 kierownik Redakcji Pamiętników i Publicystyki, a następnie, do roku 1997, kierowała całym zespołem redakcyjnym Wydawnictwa.
Czuwała nad opracowaniem edytorskim wszystkich książek Ryszarda Kapuścińskiego, a większość z nich redagowała osobiście.
Była także redaktorką tekstów, m.in. Krzysztofa Kąkolewskiego, Hanny Krall, Michała Radgowskiego, Edwarda Redlińskiego, Aleksandra Wata.

Ćwiczenia pamięci

po niewielkiej uliczce
w małym miasteczku
pod kasztanowym baldachimem
biegnę sobie, wesołe dziecko,
ku miejscu, gdzie zginę.

Janusz A. Ihnatowicz

Wojna totalna ma tysiąc frontów, w czasie takiej wojny każdy jest na froncie, choćby nigdy nie leżał w okopie ani nie oddał jednego strzału.

Teraz, kiedy sięgam pamięcią do tamtych lat, stwierdzam, nie bez pewnego zaskoczenia, że lepiej pamiętam początek niż zakończenie wojny. Początek jest dla mnie wyraźnie umieszczony w miejscu i czasie, jego obraz mogę bez trudu odtworzyć, ponieważ zachował cały swój koloryt, całą emocjonalną intensywność. Zaczyna się od tego, iż pewnego dnia spostrzegam nagle, że na czystym, błękitnym niebie kończącego się lata (a niebo we wrześniu '39 było cudownie błękitne, bez jednej chmury), gdzieś bardzo, bardzo wysoko pojawia się dwanaście srebrno połyskujących punktów. Całą jasną, wyniosłą kopułę nieba wypełnia głuchy, monotonny, nieznany mi dotąd pomruk. Mam siedem lat, stoję na łące (wojna zastała nas na wsi we wschodniej Polsce) i wpatruję się w ledwo, ledwo przesuwające się niebem punkty. Wtem w pobliżu, pod lasem, rozlega się straszliwy huk, słyszę, jak z piekielnym łoskotem pękają bomby (o tym, że są to bomby, dowiem się później, bo w tym momencie nie wiem jeszcze, że istnieje coś takiego jak bomba, samo to pojęcie jest obce mnie, dziecku z głuchej prowincji, które nie znało jeszcze radia ani kina, nie umiało czytać ni pisać, a także nie słyszało o istnieniu wojen i śmiercionośnych broni) i widzę wylatujące w górę gigantyczne fontanny ziemi. Chcę pobiec w stronę tego niezwykłego widowiska, ono mnie oszałamia i fascynuje, a nie mam jeszcze wojennych doświadczeń i nie potrafię połączyć w jeden związek, w jeden łańcuch przyczyn i skutków tych srebrno lśniących samolotów, huku bomb, pióropuszy ziemi wylatujących na wysokość drzew i grożącej mi śmierci. Więc zaczynam biec w stronę lasu, w stronę spadających i eksplodujących bomb, ale jakaś ręka chwyta mnie z tyłu za ramię i przewraca na łąkę. „Leż – słyszę rozdygotany głos matki – nie ruszaj się". I zapamiętałem, że matka, przyciskając mnie do siebie, mówi coś, o czym nie wiem, czego sens jest mi nieznany i o co chcę ją później zapytać, mówi: „Tam śmierć, dziecko".

Jest noc i chce mi się spać, ale nie wolno mi spać, musimy iść, musimy uciekać. Dokąd uciekać – nie wiem, ale rozumiem, że ucieczka stała się nagle jakąś wyższą koniecznością, jakąś nową formą życia, ponieważ uciekają wszyscy; wszystkie szosy, drogi, nawet ścieżki polne są pełne wozów, wózków i rowerów, pełne tobołów, walizek, toreb, wiader, pełne przerażonych i błąkających się bezradnie ludzi. Jedni uciekają na wschód, inni na zachód, na północ, na południe, uciekają we wszystkich kierunkach, krążą, padają z wyczerpania, przysypiają byle gdzie, ale po chwili wytchnienia zbierają resztki sił i zaczynają od nowa swoją bezładną i niekończącą się wędrówkę. Uciekając, mam trzymać mocno za rękę moją młodszą siostrę, nie wolno nam się zgubić, ostrzega mama, ale i bez tego czuję, że świat zrobił się nagle groźny, obcy i zły, i że trzeba mieć się na baczności. Idę z siostrą obok furmanki, jest to prosty, drabiniasty wóz wyłożony sianem, wysoko na sianie, na lnianej płachcie leży mój dziadek. Leży, nie może się poruszyć, jest sparaliżowany. Kiedy zaczyna się nalot, cały cierpliwie wędrujący, a teraz nagle ogarnięty paniką tłum chroni się w rowach, zaszywa w krzakach, zapada w kartofliskach. Na opustoszałej, wymarłej drodze zostaje tylko furmanka, na której leży mój dziadek. Dziadek widzi lecące na niego samoloty, widzi, jak się gwałtownie zniżają, jak biorą na cel porzuconą na drodze furmankę, widzi ogień broni pokładowej, słyszy ryk przelatujących nad jego głową maszyn. Kiedy samoloty znikają, wracamy do furmanki i matka wyciera dziadkowi spoconą twarz. Czasem naloty powtarzają się kilka razy dziennie. Po każdym nalocie z wychudłej, zmęczonej twarzy dziadka ścieka pot.

Wchodzimy w coraz bardziej posępny krajobraz. Daleko na horyzoncie wznoszą się dymy, mijamy puste osady, samotne, spalone domy. Mijamy pobojowiska zasłane porzuconym sprzętem, zbombardowane stacje kolejowe, przewrócone na bok samochody. Czuć prochem, czuć spalenizną, czuć rozkładającym się mięsem. Wszędzie napotykamy trupy koni. Koń - duże, bezbronne zwierzę - nie umie się ukryć, w czasie bombardowania stoi nieruchomo, czeka na śmierć. Na każdym kroku martwe konie, to wprost na drodze, to obok w rowie, to gdzieś dalej w polu. Leżą z nogami uniesionymi do góry, kopytami wygrażają światu. Nigdzie nie widzę zabitych ludzi, bo tych grzebią szybko, tylko ciągle trupy koni karych, gniadych, srokatych, cisawych, jakby to była wojna nie ludzi, a koni, jakby to one toczyły między sobą bój na śmierć i życie, jakby one były jedynymi ofiarami tych zmagań.

Przychodzi ciężka i mroźna zima. Jeżeli jest nam źle, wówczas dotkliwiej odczuwamy chłód, zimno jest bardziej przenikliwe; dla ludzi, którzy żyją w normalnych warunkach, zima jest po prostu kolejną porą roku, jest oczekiwaniem wiosny, natomiast dla biednych i nieszczęśliwych zima jest klęską, jest katastrofą. Ale ta pierwsza zima wojny była naprawdę mroźna. W naszym mieszkaniu piece są zimne, a ściany pokrywa biały, włochaty szron. Nie ma czym palić, ponieważ nie można kupić opału, a ukraść nie wolno. Za kradzież węgla - śmierć, za kradzież drzewa - śmierć. Życie ludzkie warte jest teraz byle co, tyle co kostka węgla, co kawałek drewna. Nie mamy co jeść. Matka stoi godzinami w oknie, widzę jej nieruchomy wzrok. W wielu oknach można zobaczyć ludzi wyglądających na ulicę, widocznie na coś liczą, na coś czekają. Z gromadą chłopców wałęsam się po podwórkach, ni to zabawa, ni to szukanie czegoś do zjedzenia. Czasem przez jakieś drzwi doleci zapach gotującej się zupy. W takich wypadkach jeden z moich kolegów, Waldek, wtyka nos w szparę tych drzwi i zaczyna pośpiesznie, gorączkowo wdychać ten zapach i z rozkoszą gładzić się po brzuchu, jakby siedział przy obficie zastawionym stole, w chwilę później zmarkotnieje i znowu popada w apatię. Raz słyszymy, że w sklepie przy rynku będą dawać cukierki. Natychmiast ustawiamy się - długa kolejka zziębniętych i głodujących dzieci. Jest popołudnie, zmierzcha. Stoimy na mrozie cały wieczór, noc i jeszcze następny dzień. Stoimy przytulając się, obejmując, żeby choć trochę się ogrzać, żeby nie zamarznąć. W końcu otwierają sklep, ale zamiast cukierków każde z nas dostaje pustą, metalową puszkę po landrynkach (gdzie podziały się cukierki, kto je zabrał - nie wiem). Słaby, skostniały z zimna, a jednak w tym momencie szczęśliwy, niosę swoją zdobycz do domu - jest cenna, ponieważ na wewnętrznej ściance puszki pozostał osad cukru. Teraz matka grzeje wodę i wlewa ją do puszki – mamy gorący, słodkawy napój: nasze jedyne pożywienie.

Potem znowu jesteśmy w drodze, jedziemy z naszego miasteczka – Pińska – na zachód, bo tam, mówi matka, na wsi pod Warszawą jest ojciec. Ojciec był na froncie, dostał się do niewoli, uciekł z niewoli i uczy dzieci w wiejskiej szkółce. Teraz, kiedy my, którzy w czasie wojny byliśmy dziećmi, wspominamy tamten czas i mówimy „ojciec" albo mówimy „matka", zapominamy z powodu powagi tych słów, że nasze matki były młodymi dziewczynami, a nasi ojcowie młodymi mężczyznami i że bardzo się wzajemnie pragnęli, bardzo do siebie tęsknili, chcieli ze sobą być. Moja matka też była wówczas młodą dziewczyną, więc sprzedała wszystko, co miała w domu, wynajęła furmankę i pojechaliśmy szukać ojca. Znaleźliśmy go przypadkowo. Jadąc przez wieś, która nazywa się Seraków, matka w pewnym momencie krzyknęła do przechodzącego drogą mężczyzny: „Dziudek!" Był to mój ojciec. Od tego dnia mieszkaliśmy razem w małej izdebce bez światła i wody. Kiedy robiło się ciemno, szliśmy spać, bo nie było nawet świecy. Głód przyszedł tu za nami z Pińska, ciągle szukałem, gdzie by co zjeść, skórkę chleba, marchewkę, byle co. Kiedyś ojciec, nie mając innego wyjścia, powiedział w klasie: „Dzieci, kto chce jutro przyjść do szkoły, musi przynieść jednego kartofla". Ojciec nie umiał handlować, nie umiał robić interesów, pensji nie dostawał, więc uznał, że ma tylko jedno wyjście: prosić swoich uczniów o kilka kartofli. Nazajutrz połowa klasy nie przyszła w ogóle. Niektóre dzieci przyniosły pół, inne ćwierć kartofla. Cały kartofel był wielkim skarbem.

Obok mojej wsi jest las, w tym lesie, koło osady, która nazywa się Palmiry, jest polana. Na tej polanie SS-mani przeprowadzają egzekucje. Z początku rozstrzeliwują w nocy i wtedy budzą nas głuche, równomiernie powtarzające się salwy. Potem robią to także w dzień. Wiozą skazańców w zamkniętych, ciemnozielonych budach, na końcu kolumny jedzie w ciężarówce pluton egzekucyjny. Ci z plutonu są zawsze w długich płaszczach, jakby długi, ściągnięty pasem płaszcz stanowił nieodzowny rekwizyt rytuału mordu. Kiedy przejeżdża taka kolumna, my, gromada wiejskich dzieci, śledzimy ją ukryci w przydrożnych krzakach. Za chwilę za zasłoną drzew zacznie się dziać coś, na co nie wolno nam patrzeć. Czuję, jak przenika mnie lodowate mrowie, jak cały drżę. Z zapartym tchem czekamy na odgłosy salw. Oto one. Potem słychać pojedyncze strzały. Po jakimś czasie kolumna wraca do Warszawy. Na końcu w ciężarówce jadą SS-mani z plutonu egzekucyjnego. Palą papierosy i rozmawiają.

Nocą przychodzą partyzanci. Widzę ich twarze, jak pojawiają się nagle w oknie, przyciśnięte do szyby. Kiedy siedzą przy stole, przyglądam im się przejęty zawsze tą samą myślą: że mogą zginąć jeszcze dzisiaj, że są jakby naznaczeni śmiercią. Oczywiście zginąć mogliśmy wszyscy, ale oni takiej możliwości wychodzili naprzeciw, stawiali jej czoło. Kiedyś przyszli, jak zawsze, nocą. Była jesień i padał deszcz. Rozmawiali o czymś z matką szeptem (ojca nie widziałem od miesiąca i nie zobaczyłem już do końca wojny - ukrywał się). Musieliśmy szybko ubrać się i wyjść: w okolicy była obława, wywozili do obozów całe wsie. Uciekliśmy do Warszawy, do wyznaczonej kryjówki. Pierwszy raz byłem w dużym mieście, pierwszy raz zobaczyłem tramwaj, wysokie kilkupiętrowe kamienice, rzędy dużych sklepów. Jak potem znaleźliśmy się znowu na wsi - nie pamiętam. Była to jakaś nowa wieś, po drugiej stronie Wisły. Pamiętam tylko, że znowu idę obok furmanki i słyszę, jak przez drewniane szprychy kół przesypuje się piasek ciepłej, polnej drogi.

Przez całą wojnę moim marzeniem są buty. *Mieć buty*. Ale jak je zdobyć? Co zrobić, żeby mieć buty? W lecie chodzę boso i skórę na stopach mam twardą jak rzemień. Na początku wojny ojciec zrobił mi buty z filcu, ale ojciec nie jest szewcem i buty wyglądają pokracznie, poza tym urosłem i są już ciasne. Marzę o butach mocnych, masywnych, podkutych, które uderzając o bruk, wydają donośny, wyrazisty odgłos. Moda była wówczas na buty z cholewami, cholewy były symbolem męskości, siły. Mogłem godzinami wpatrywać się w ładne buty, lubiłem blask skóry, lubiłem słuchać jej chrzęstu. Ale nie chodziło tylko o urodę dobrego buta, o wygodę, o komfort. Mocny but był symbolem prestiżu i władzy, symbolem panowania; lichy, podarty but był oznaką poniżenia, piętnem człowieka, któremu odebrano wszelką godność i skazano na nieludzką egzystencję. Mieć dobre buty znaczyło być mocnym, a nawet po prostu znaczyło *być*. Ale w tych latach wszystkie wyśnione buty, które spotykałem na ulicach i drogach, przechodziły obok mnie obojętnie. Zostawałem (myśląc, że zostanę tak już na zawsze) w moich topornych drewniakach pokrytych czarnym, brezentowym płótnem, któremu z pomocą jakiegoś mazidła bezskutecznie próbowałem nadać odrobinę blasku.

W 1944 zostałem ministrantem. Mój ksiądz był kapelanem szpitala polowego. Rzędy zamaskowanych namiotów stały ukryte w sosnowym lesie po lewej stronie Wisły. W czasie powstania warszawskiego, nim ruszyła ofensywa styczniowa, trwała tu gorączkowa, męcząca krzątanina. Z frontu, który w pobliżu huczał i dymił, przyjeżdżały pędem samochody-sanitarki. Przywoziły rannych, często nieprzytomnych, ułożonych w pośpiechu i nieładzie jeden na drugim, jakby to były worki ze zbożem (tyle że worki ociekające krwią). Sanitariusze, sami już ze zmęczenia półżywi, wyjmowali rannych i kładli na trawie, następnie brali gumowego węża i polewali ich silnym strumieniem zimnej wody. Kto z rannych zaczynał dawać oznaki życia, tego nieśli do namiotu, w którym mieściła się sala operacyjna (przed namiotem, wprost na ziemi leżała codziennie świeża sterta amputowanych rąk i nóg), kto zaś nie poruszył się więcej, tego nieśli do wielkiego grobu, jaki mieścił się na tyłach szpitala. Tam właśnie nad niekończącą się mogiłą stałem godzinami obok księdza, trzymając mu brewiarz i kropielnicę. Powtarzałem za nim modlitwę za zmarłych. Każdemu poległemu mówiliśmy – Amen, dziesiątki razy dziennie – Amen, w pośpiechu, bo gdzieś obok, za lasem, maszyna śmierci pracowała bez wytchnienia. Aż wreszcie kiedyś zrobiło się pusto i cicho – ustał ruch sanitarek, zniknęły namioty (szpital odjechał na zachód), w lesie zostały krzyże.

Co było potem? Teraz, kiedy przepisuję tu kilka stronic z książki o moich latach wojennych (książki nigdy nienapisanej), zastanawiam się, jak wyglądałyby jej stronice ostatnie, jej zakończenie, epilog. Co byłoby tam powiedziane o końcu wielkiej wojny? Myślę, że nic, to znaczy nic w sposób ostatecznie zamykający sprawę. Bo w pewnym, ale istotnym sensie, wojna nie skończyła się dla mnie ani w 1945, ani wkrótce potem. Na różne sposoby coś z niej trwało nadal i coś trwa nawet do dzisiaj, ponieważ myślę, że dla tych, którzy ją przeżyli, wojna nie kończy się nigdy w sposób ostateczny. W wierzeniach afrykańskich istnieje pogląd, że ktoś umiera naprawdę dopiero wówczas, kiedy umrze ostatni z tych, którzy go znali i pamiętali. To znaczy – ktoś przestaje istnieć, kiedy odejdą z tego świata wszyscy nosiciele pamięci. Coś takiego jest również z wojną. Ci, którzy przeżyli wojnę, nigdy się od niej nie uwolnią.

Ona pozostała w nich jako garb myślowy, jako obolała narośl, której nawet tak świetny chirurg jak czas nie będzie w stanie usunąć. Przysłuchajcie się spotkaniu tych, którzy przeżyli wojnę. Kiedy zbiorą się i usiądą wieczorem przy stole. Nieważne, o czym zaczną mówić. Tematów może być tysiąc, ale zakończenie będzie jedno: i będzie nim - wspominanie wojny. Ci ludzie nawet w zmienionych, pokojowych warunkach będą myśleć jej obrazami, nakładać je na każdą nową rzeczywistość, z którą już nie potrafią się w pełni utożsamić, ponieważ rzeczywistość ta to czas teraźniejszy, a oni są opętani czasem przeszłym, ciągłym wracaniem do tego, co przeżyli i jak udało się przeżyć, ich myślenie jest obsesyjnie powtarzaną retrospekcją. Ale co to znaczy - myśleć obrazami wojny? To znaczy widzieć, jak wszystko istnieje w maksymalnym napięciu, jak wszystko tchnie okrucieństwem i grozą. Bo rzeczywistość wojenna to świat skrajnej, manichejskiej redukcji, która usuwa wszelkie barwy pośrednie, łagodne, ciepłe i ogranicza wszystko do ostrego, agresywnego kontrapunktu, do bieli i czerni, do najpierwotniejszej walki dwóch sił - dobra i zła. Nikogo więcej na placu boju! Tylko dobro - a więc my, i zło - to znaczy wszystko, co stoi nam na drodze, co się sprzeciwia, a co hurtem wtłaczamy w złowieszczą kategorię wroga. Obraz wojny jest przesycony atmosferą siły, siły fizycznej, materialnej, chrzęszczącej, dymiącej, co chwila wybuchającej, bez przerwy kogoś atakującej, wyrażanej brutalnie w każdym geście, w każdym uderzeniu buta o bruk, kolby o czaszkę. W takim myśleniu wszelka wartość zostaje odniesiona do miernika siły jako jedynego kryterium - liczy się wyłącznie silny, jego racja, jego krzyk, jego pięść. Ponieważ dąży się do rozwiązania wszelkiego konfliktu nie przez kompromis, lecz zniszczenie przeciwnika. Wszystko to dzieje się w klimacie spotęgowanej emocji, egzaltacji, furii i zacietrzewienia, w którym czujemy się stale ogłuszani, spięci i - przede wszystkim - zagrożeni. Poruszamy się w świecie pełnym nienawistnych spojrzeń, zaciśniętych szczęk, pełnym gestów i głosów, które budzą przerażenie.

Długo myślałem, że jest to świat jedyny, że tak on wygląda, że tak wygląda życie. To zrozumiałe: lata wojny były dla mnie okresem dzieciństwa, a potem początków dojrzewania, pierwszego rozumienia, narodzin świadomości. Stąd zdawało mi się, że nie pokój, a wojna jest stanem naturalnym, a nawet jedynym, jedyną formą egzystencji, że tułaczka, głód i strach, naloty i pożary, łapanki i egzekucje, kłamstwo i wrzask, pogarda i nienawiść są naturalnym i odwiecznym porządkiem rzeczy, treścią życia, esencją bytu. Toteż kiedy raptem umilkł huk dział, kiedy przebrzmiał łoskot pękających bomb i nagle nastała cisza, byłem tą ciszą zdumiony, nie wiedziałem, co ona oznacza, czym jest. Myślę, że ktoś dorosły, usłyszawszy tę ciszę, mógł powiedzieć: „Koniec piekła. Wreszcie wrócił pokój". Ale ja nie pamiętałem, czym był pokój, byłem na to zbyt mały: kiedy skończyła się wojna, znałem tylko piekło.

Mijały miesiące, a wojna ciągle przypominała o swojej obecności. Nadal żyłem w mieście obróconym w perzynę, wspinałem się po górach gruzu, błądziłem w labiryncie ruin. Szkoła, do której chodziłem, nie miała podłóg, okien ani drzwi – wszystko spłonęło. Nie mieliśmy książek ani zeszytów. W dalszym ciągu nie miałem butów: wojna jako utrapienie, jako niedostatek, jako ciężar trwała więc nadal. Nadal nie miałem domu. Powrót z frontu do domu to najbardziej odczuwalny symbol zakończenia wojny. Tutti a casa! Ale ja nie mogłem wrócić do domu, teraz mój dom był za granicą, w innym kraju. Kiedyś, po lekcjach, graliśmy w pobliskim parku w piłkę nożną. Jeden z kolegów, w pogoni za piłką, zapuścił się w krzaki. Rozległ się straszny huk, rzuciło nas na ziemię: kolega zginął od miny, która jeszcze tam była. Wojna czyhała na nas nadal, nie chciała się poddać. Kuśtykała po ulicach, podpierając się drewnianymi kulami, wymachiwała na wietrze pustymi rękawami. Tych, co przeżyli, dręczyła po nocach, przypominała się w złych snach.

Ale przede wszystkim wojna trwała w nas przez to, że przez pięć lat wpływała na kształtowanie się naszych młodych charakterów, naszej psychiki, naszej mentalności. Że starała się je deformować i niszczyć, dając przykłady najgorsze, wymuszając zachowania niegodne, wyzwalając uczucia potępione. „Wojna – pisał w tamtych latach Bolesław Miciński – zniekształca nie tylko dusze najeźdźców, ale zatruwa nienawiścią, a więc zniekształca i dusze tych, którzy starają się najeźdźcy przeciwstawić". I dlatego, dodawał, „nienawidzę totalizmu za to, że nauczył mnie nienawiści". Tak, wyjść z wojny to znaczyło oczyścić się wewnętrznie, przede wszystkim oczyścić się z nienawiści. Ale ilu podjęło w tym kierunku rzeczywisty wysiłek? Ilu się to udało? Na pewno był to proces, męczący i długotrwały, który nie mógł dokonać się raptem, jednego dnia, ponieważ rany wyniesione z tej pożogi, rany psychiczne i moralne były głębokie.

Kiedy mowa o roku 1945:

drażniące jest dla mnie określenie, jakie czasem słyszę z tej okazji: radość zwycięstwa. O jakiej tu mówić radości? Przecież zginęło tylu ludzi! Przecież zakopano miliony ciał! Tysiące straciło ręce i nogi. Straciło wzrok i słuch. Straciło rozum. Każda śmierć jest nieszczęściem. Koniec każdej wojny jest smutny: tak, przeżyliśmy, ale za jaką cenę! Wojna dowodzi, że człowiek jako istota myśląca i czująca nie sprawdził się, zawiódł sam siebie, poniósł klęskę.

Kiedy mowa o roku 1945:

gdzieś latem, tego właśnie roku, ciotka, która cudem ocalała z powstania warszawskiego, przywiozła do nas na wieś urodzonego w czasie powstania syna - Andrzeja. Dziś jest to mężczyzna czterdziestoletni i kiedy patrzę na niego, myślę - jak to wszystko było już dawno! Które to już pokolenie rodzi się, nie mając pojęcia o tym, czym jest wojna. A jednak ci, co przeżyli, powinni dawać świadectwo. Dawać świadectwo w imię tych, którzy padli obok nich, a często padli za nich. Dawać świadectwo tego, czym były obozy, zagłada Żydów, zniszczenie Warszawy i Wrocławia. Czy to jest łatwe? Jest trudne. My, którzy przeżyliśmy wojnę, wiemy, jak trudno przekazać o niej prawdę tym, którym, szczęśliwie, to doświadczenie jest nieznane. Wiemy, jak zawodzi nas język, jak zawodzą słowa. Jak to wszystko w gruncie rzeczy jest nieprzekazywalne, jak często czujemy się bezradni (ktoś mówi mi w Chicago: „Wzięli go do Oświęcimia? To dlaczego się zgodził? Dlaczego nie wziął adwokata?"). A jednak mimo tych trudności i ograniczeń, których musimy być świadomi, powinniśmy mówić. Ponieważ mówienie o tym wszystkim nie dzieli, a zbliża, pozwala nawiązać nici zrozumienia, nici wspólnoty. Umarli napominają nas. Oni coś ważnego nam przekazali i teraz musimy czuć się odpowiedzialni. W takim stopniu, w jakim jesteśmy zdolni, powinniśmy przeciwstawiać się wszystkiemu, co może ponownie zrodzić wojnę, zrodzić zbrodnię, zrodzić katastrofę. Ponieważ my, którzy przeżyliśmy wojnę, wiemy, jak ona się zaczyna, skąd się bierze. Wiemy, że nie tylko z bomb i rakiet. Wiemy, że także, a może nawet przede wszystkim, z fanatyzmu i pychy, z głupoty i z pogardy, z ignorancji i nienawiści. Że ona się tym wszystkim żywi, że na tym i z tego wyrasta. Dlatego tak jak Zieloni walczą przeciw zanieczyszczeniu powietrza przez spaliny i wyziewy, powinniśmy walczyć przeciw zanieczyszczeniu stosunków międzyludzkich przez ignorancję i nienawiść.

Kiedy mowa o roku 1945:
myślę o tych, których już nie ma.

Kiedy mowa o roku 1945:
Dzikie żądze się uśpiły
I porywcze czyny;
Miłość Boga, miłość ludzi
Cicho w nas ożywa.

J.W. Goethe (*Faust*)

Oby. Oby.

Wymarsz piątej kolumny

Same powiedziały, jak to się narodziło.

Powiedziały, że to wzięło początek z czasu i z muzyki.

Czas i muzyka były razem, muzyka trwała w czasie przez godzinę i one wiedziały, że ta godzina wybiła dla nich.

One usłyszały znajomą melodię. Najpierw słyszały tony dalekie i wysokie, a potem przez wiatr i przestrzeń naniosło niskich, twardych głosów. One usłyszały śpiew, bulgot werbli, ostre nakazy komend. Mogły rozróżnić wycie czołgów, basowanie armat i jazgot motocykli. Rozlegały się jęki i krzyki. Woda zadzwoniła w wiadrze. Oni są spragnieni, więc muszą się napić. Kolbą pukają do drzwi, sapią, w końcu się śmieją. Śmiech i sapanie jest ich mową. One słyszą gwar. Muzyka narasta, wypełnia pokój, sień i podwórze, toczy się brukiem ulicy i przenika w las. Tego nikt nie słyszał, tylko one. Bo one mają blutinstinkt.

– Blutinstinkt? – zapytałem. – Co to jest blut?

– Krew. Blut to krew – odezwał się ktoś z boku.

Więc to tak: dwie ropuchy leżały nieruchome. Ktoś przystawił do ich ciała prąd. Wtedy drgnęły, w zwapnionych żyłach poruszyła się krew. Ta krew poszła do mózgu i wypełniła komórki czułe na muzykę. Na ten jeden rodzaj muzyki, który da się słyszeć, przeżyć i zapamiętać, jeżeli się ma blutinstinkt. A one go mają. I dlatego jedna mówi do drugiej:

– To jest to, Margot.

– Tak – odpowiada Margot – to nasza muzyka i nasza godzina.

W tej rozmowie jest mało słów, można wszystkie policzyć na palcach. Ale krew płynie do mózgu i komórki napełnia bulgot werbli. Jedne komórki słuchają, a inne myślą. Głowa nie może spać. Dwie głowy czuwają tej nocy, dziąsła żują mannę pacierza. Panie nasz, spraw w swojej hojności, aby przyszedł świt. Więc świt przychodzi. Jest 11 września 1961. Jest poniedziałek.

Dwie kobiety uciekają z Domu Starców w Szczytnie.

Nikt tego nie widzi.

Augusta jest starsza, Margot młodsza. Augusta nie może utrzymać się w pionie, więc Margot ją wspiera, żeby obie mogły iść o prostym karku. Często Augusta traci dech, więc przystaje. Ona słyszy znowu muzykę, ale ucieka jej dech. Wtedy przystają i Augusta czeka na tę kropelkę energii, która da jej napęd na dalsze dziesięć metrów. Bardzo dobrze, jeśli na dwadzieścia.

Augusta Bruzius, rocznik 1876. – Pan – mówi do mnie – popatrz na mnie. Mój umysł jasny, we środku wszystko dobrze. Płuca i serce całkiem dobrze. A ona jest młodsza, ale ma reumatismus.

Ona, ta Margot, to jest córka. Augusta urodziła ją w 1903 roku. Margot to jest mocno kształcona. Dziesięć lat pracowała w sądzie. – Czy ona sądziła Polaków? – pytam. – Ona nikogo nie sądziła, tylko robiła stenografię.

Kropla energii wzbiera gdzieś w zdrowym środku Augusty, więc idą dalej. W południe są na dworcu. Kupują bilety.

– Dwa bilety do Taubus – mówi Augusta.

– Ta kasjerka, to ona na nas tak patrzyła. Ona jeszcze nie wiedziała, gdzie to jest Taubus. Margot musiała jej powiedzieć, co my chcemy do Olecka. A potem ona patrzyła, co te pieniądze są takie zielone. A to był Schimmel, pleśń. One ja trzymałam dziesięć lat na te bileta do Taubus.

No więc miały bilety i jechały do Olecka. Piękny krajobraz Mazur przesuwał się za oknami wagonu w dymie deszczu i mgły. Dużo ludzi było w pociągu, dużo na stacjach i na drogach. Co mogli wiedzieć o blutinstinkt? To nie była ich rzecz. Tylko one miały we krwi wszystko potrzebne, żeby słyszeć muzykę. Dlatego jedna powiedziała do drugiej:

– To jest to.

I druga odpowiedziała:

– Tak.

Cztery słowa, można policzyć na palcach. Ale wystarczy, żeby się upewnić: w komórkach bulgocą werble. Wycie czołgów, świder silnika wierci mózg do bólu. Woda dzwoni w wiadrze. Oni są spragnieni, muszą się napić. Dwie staruchy jadą pomacać polskie gardła. Dwie staruchy w pociągu do Olecka. Im trzeba pomocy, im trzeba opieki. Siwe zgarbione kobiety w drodze. Może ktoś z panów ustąpi miejsca? Zamknąć okno? Może być otwarte. Panie daleko? Do Taubus – mówi Margot. Do Olecka – wyjaśnia Augusta. Odwiedzić rodzinę?

One milczą. Po co mówić, że jadą odebrać dwa domy? Te domy, powie nam potem Augusta, wystawił jej mąż, Bruzius, największy masarz w Taubus. Oni mieli ziemi 90 włók. Tam robiło sto polskich pachołków. Mąż raz jechał w dwa konie i bryczka trafiła na wysoki kamień. Mąż upadł między te konie i umarł. Mąż zostawił ziemię, domy, pachołki i Margot. Państwo polskie zabrało ziemię i domy. Pachołki poszły same. Została Margot. One z Margot chciały jechać do Essen, jak był transport, ale Margot dostała ten reumatismus. Były długo w szpitalu w Szczytnie. Potem były w Domu Starców. Tam jest ciągle hałas w Domu Starców. W niedzielę też był hałas, ale potem wszystko poszło precz i było słychać te głosy.

– To jest to – powiedziała Augusta.

– Tak – odparła Margot – to nasza muzyka i nasza godzina.

Ruszyły do Olecka. Ze stacji poszły na rynek. Te domy stały przy rynku. Wielkie kamienice. Od razu jedno im się nie zgrało: muzyka nie weszła z nimi do miasta. Ani bulgot werbli, ani basowanie armat. Olecko było ciche, zadeszczone, senne. Ludzie żyli tu tacy jak na całym świecie. Krzątali się wokół swoich małych spraw, żeby zarobić swoje małe pieniądze. Chłopi kupowali gwoździe, dzieci wracały ze szkoły, urzędnicy pili zimną i cienką herbatę. To nie brzmiało jak pieśń. To w ogóle nie była muzyka.

Augusta i Margot zastukały do drzwi. Potem powiedzą, że otworzył im chłopak. On myślał, że my na żebrach, i powiedział: Nie mam drobnych. Pokazał drugie drzwi. Poszły więc od drzwi do drzwi, dwie siwe kobiety, którym potrzeba pomocy i opieki. W każdych drzwiach powtarzały swoją formułę. Teraz jest państwo niemieckie i wy się wynoście. Wy stąd idźcie precz, tu jadą moje syny. Mówiły to po niemiecku, ludzie nie rozumieli. Czasem sąsiad mrugał do sąsiada, że trącone. Tak właśnie jest często między ludźmi: nie umieją wysłuchać człowieka do końca. Łapią jego dziesięć słów, nie czekając, aż dojdzie do kropki. I zdanie przerwane w połowie wygląda wariacko. Więc mówią zaraz: trącony.

Ale one nie były trącone. Długo z nimi rozmawiałem. Augusta miała rację – jej umysł jest jasny. One tylko nocami schodziły w Szczytnie do świetlicy, gdzie stoi nowe silne radio. Gałką kołowały w eterze. Magiczne oczko mrugało nerwowo. Stare łapały Adenauera. Słuchały wciśnięte w głośnik, w komórkach bulgotały werble.

W Olecku były trzy dni. Nie przyszła muzyka, nie dostały tych domów ani tych włók, ani polskich pachołków. Poszły ze skargą do Rady Narodowej. Tam też uznano, że są trącone. Powiedzieli im, żeby wracały do Szczytna. Nie zgodziły się, chciały być blisko Olecka. Dali im na bilet, przyjechały do Nowej Wsi pod Ełk. Tu jest taki sam Dom Starców jak w Szczytnie. Ale o sto kilometrów bliżej od tego miejsca, gdzie Herr Bruzius, największy masarz z Taubus, robił w sto polskie pachołki.

Był wieczór, deszcz i zimno dręczyły ziemię. Weszły do stołówki, wlokąc strugę wody, mroku, pokory i zmęczenia. Siedzieliśmy z kierownikiem na ławce.

– Herr Führer... —zaczęła Margot.

– Nie rozumiem! – krzyknął kierownik. – Po polsku!

Margot cofnęła się: nie chciała mówić. Do końca pobytu nie odezwała się słowem po polsku. Ale Augusta mówiła: My przyjechały do Olecka, bo my myślały, że już jest państwo niemieckie, a potem nam powiedzieli, co jest państwo polskie. Ja chciała odebrać moi domy, żeby powitać tam moi syny.

– Jacy synowie? – spytałem.

A, to ona miała cztery syny. Jeden syn na froncie ukraińskim. Drugi syn na froncie syryjskim. Te dwa syny zostały na tych frontach. Ale drugie syny są w Niemcach Zachodnich. One tam są, te syny. One przyjdą tu robić pokój. One przyjdą z Ameryką. Tutaj, te syny.

Kosmate pająki jej słów łaziły mi po mózgu. Patrzyłem na nią – miała 85 lat, ale gdyby jej przyszło zatańczyć Wienerblut, toby na oleckim rynku poszedł kurz. Margot była mniej żywotna. Zgarbiona, bez zębów, wargi wpadały jej do gardła. Miała wypukłe oczy i miała szkła, ale bez oprawek, przywiązane do włosów sznurkami.

– Gdzie wasze rzeczy? – spytał kierownik.

One zostawiły wszystko w Szczytnie. Nie miały czasu nic brać, bo one spieszyły się do Olecka, zanim przyjdą te dwa syny, co mają przyjść z Ameryką. One nic nie chcą. One chcą tylko jeść i nocleg, a jutro pójdą do Olecka, bo jutro może już będzie ich czas. I może będzie ich muzyka ten czas wypełniająca.

Nie byliśmy sami, bo tymczasem zeszli się ludzie i zaczęli nadstawiać ucha. Byli to starzy ludzie, mieszkańcy tego domu. Mieli zwiotczałe twarze, kurczące się ciała, porażone sklerozą umysły. Całymi dniami siedzieli patrząc na drogę, którą nikt nie przechodził. Albo patrzyli na siebie i wtedy zaczynali płakać. Głuchli i ślepli, tracili smak i węch. Ale jeszcze coś niecoś pamiętali. Jeszcze kobiety mogły wymówić imiona zabitych dzieci, a mężczyźni wspominali adresy domów, które rozniosły pociski. Byli tu teraz samotni i bezradni, ponieważ takimi uczyniła ich wojna. Wojna chadzała często po tej ziemi, na której przyszło im żyć, płodzić, pracować i umrzeć. Każdy z nich miał swój rachunek, jaki chciałby przedstawić muzykantom. Każdy z nich miałby do pomówienia z tymi grajkami, co robią taką wspaniałą muzykę. Ci starzy wiedzieli, że te dwie nie były trącone. Oni wiedzieli: dwie ropuchy leżały nieruchome i ktoś przystawił do ich ciała prąd. Wtedy drgnęły, w zwapnionych żyłach poruszyła się krew. Ta krew poszła do mózgu, komórki wypełnił bełkot werbli.

To było tak, tak właśnie. I dlatego starzec stojący na czele tłumu powiedział:

- Wygonić!

A inni powtórzyli za nim:

- Pewnie, że wygonić.

Coś powróciło, jakaś zła, przeklęta cząstka przeszłości powróciła i zbladłe twarze starców, które już dawno zaniemówiły, które dawno przestały cokolwiek wyrażać, naszły krwią. Ale nie mieli siły się ruszyć. Stali tak stłoczeni, wyrzucając z bezzębnych czeluści swój wyrok, swoje przekleństwo, swoją otępiałą rozpacz. A może to nie był brak siły, tylko jakaś solidarność wieku, instynktowna wspólnota świata schodzącego do piachu, ślepa, tępa i głucha, ale jeszcze świadoma tego albo przynajmniej odczuwająca to, że nie można wyrzucać tych staruch w noc na deszcz i zimno.

Więc zostały.

Kierownik powiedział, że dostaną nazajutrz samochód i będą odwiezione do Szczytna. Nie powiedziały nic, najadły się do pełna i poszły spać, a o mokrym świcie uciekły, wspierając się jedna o drugą, żwawe i wypoczęte, z tym bulgotaniem werbli w komórkach.

Daleko

Stary był, jak świerk. Z miasta przyjechali miastowi. - Hi, hi - woła miastowy do miastowej - patrz, jakie próchno. Chodzi i świeci. - Ale nikt się tu nie śmiał z siwego włosa. Bo to była ziemia starych ludzi. Dzieci ciągnęły zgrają przez wieś. Ktoś złapał dziecko, przyjrzał mu się: zęby skruszone, oczy wyblakłe, szyja w zmarszczkach. Stare. Dziecko pobiegło dalej, potknęło się - kulas w proszku. Krzywica. Młodych tu nie było. Wielu miało 18 lat albo trochę mniej czy więcej, ale wcale nie jest powiedziane, że jak się ma 18 lat, to jest się młodym.

Wszyscy byli starzy. Starość to jest coś takiego bez wyjścia. A wyjścia z tej ziemi nie było dla nikogo. Naokoło granica. Pola, łąki, bagno i las: granica. Za granicą życie musi być lepsze. Tak ludzie zawsze myślą. A potem jadą i wracają. No i jak tam - pytają tego, co wrócił. A człowiek milczy, macha ręką. Jutro pójdzie na pole. Weźmie garść ziemi, powącha. Miastowi nie wiedzą, że ziemię można wąchać. A ona przecież pachnie. Soir de Paris. Tu ziemia ma dwa zapachy: piaskowy i bagienny. Liche pola, chude bruzdy. Można by zmienić życie, gdyby zmienić ziemię. Ale jak? Nikt tego nie wiedział. A człowiek, który nie wie, jak zmienić ziemię, to jest właśnie człowiek biedny. Dzisiaj na świecie żyje może miliard takich ludzi, co tego nie wiedzą. I nikt im nie potrafi powiedzieć.

Za wsią stoi bajorko. Jak podciągało chłodem, ten stary przychodził do bajorka. Ten stary, co był jak świerk. Tam się nosiło lniane koszule do kolan i lniane gacie do kostek. Guziki nie były znane, więc koszula musiała być długa, bo inaczej widziało się w człowieku za wiele rzeczy na raz. Stary ściągał tę koszulę i gacie. Teraz to mógł zrobić: przecież się mył. Może nie było w tym wielkiego mycia, tylko chlapanie. Dobrze sobie pamiętam, jak się tak ochlapywał. Bo to był widok ciekawy, a dzieci lubią, żeby widoki był ciekawe. Potem brał dziegciu i tym dziegciem nacierał skórę. W każdą zmarchę szła podwójna porcja. Pchły dziegciu nie lubią, a wesz się przylepi. To jest spraktykowane. Znowu wciągał koszulę, a na koszulę kożuch. Kożuch trzeba było jakoś spasać, to go ściągał drutem. Taki zdrutowany wracał do wsi i szedł na piec. Jesień i zimę drzemał na tym piecu. A wiosną szedł do bajorka. Wtedy sobie drut rozplątywał i znowu się chlapał.

Tu jest to bajorko. Ale nie ma starego. Trzech pępków pluska się w zmętniałej wodzie, prycha i figluje. Widzę, że jest i czwarty. Ten czwarty się nie kąpie. Nie może się kąpać, na ręku ma zegarek. I zdjąć go nie może, bo to by była degradacja. Każdy ma prawo zobaczyć to bajorko i tego smyka na brzegu. Każdy powinien w tym miejscu pomyśleć – no i patrzcie, cisowski chłopak zegarkiem błyska!

Do wsi to tam, na prawo, przez ten zagaj. Matka do zagaju po chrust pędziła. Chrust szedł do pieca. Blacha jak się rozogni, jest akurat pod placki. Myśmy chleba nie znali. Matka rozmieszała mąki z wodą i na blachę. To się nazywało podpłomyk. Czasem było masło, ale noży nie pamiętam. We wsi mieli sierpy, mieli nawet kosy, ale wiem, że jak trzeba było placek pomazać masłem, to się brało je na palec i palcem ciach. Też pamiętam, jak masło topniało na gorącym placku. Od tego szła woń, że nam wyło w brzuchach jak sto psów. Raz ojciec kupił pół bochenka chleba. Z daleka widzieliśmy ojca, jak niesie ten chleb. A ja stałem z siostrą w oknie i kiedy zobaczyłem chleb, zacząłem płakać. To był wtedy ten jeden raz w moim życiu, kiedy wiedziałem, co to jest szczęście.

– O czym marzysz? – zapytałem teraz dziewczynę.

– O czym? Żeby sobie kupić włoskie szpilki za 1400 i żeby mieć duży pokój, w którym będzie olbrzymi puszysty dywan.

– A nie chcesz jeść?

– Jeść? Czemu zadajesz głupie pytania?

Ale to nie jest głupie pytanie. Takie pytanie może rozsadzić świat. Jeśli dużo ludzi zada je w jednej chwili, to wtedy jest rewolucja. Ale jak to tłumaczyć tej dziewczynie? Dziewczynom w ogóle nie trzeba niczego tłumaczyć, bo potem je boli głowa.

Do wsi tamtędy, jak idą druty. W drutach śpiewają elektryczne iskry. Ptak na drucie usiądzie – ptaka nie zabije. Człowiek dotknie – pada martwy. Coś w tym jest. Prądu ma każdy wedle potrzeb. Komu do sieczkarni, komu na światło, komu żeby puścić maszynę do szycia. A może być tak, że wszystko naraz w jednym domu idzie. Taka Kanada. Prąd załączyli trzy lata temu. W roku pięćdziesiątym ósmym zaczął się ten elektryczny komunizm. Wtedy każdy pstrykał nad miarę. Miastowi to się z tego śmieją. Ale chłop się nie śmieje: chłop pstryka z powagą. Światło – ciemno, światło – ciemno. Teraz ma, co chce, niebo i piekło w jednym kontakcie.

W starych izbach został ślad od łuczywa. Ślad trzeba zamalować. Wchodzę do izby, żegnam się krzyżem; abstrakcjonizm na cały regulator. Jedna ściana w pastelowy krem, druga w orange, inna znowu w błękit i powała w błękit. Radio na szafce, abażur na suficie, maszyna w miejscu wystawnym. Dzieci w łóżeczkach na białych poduszkach. Wszystkie chodzą do szkoły. Najstarszy w tym roku szkołę skończy, pójdzie uczyć się dalej. Bo on mądry jest. Mądre rzeczy w zeszytach pisze. A jakie? Tego matka nie wie. Bo matka ani pisać, ani czytać nie umie. Kto by ją miał uczyć? Tu uczeni ludzie nigdy nie przyjeżdżali. Jak człowiek jest uczony, to nosi okulary. Takich czasem widywało się po okolicy. Chodzili, spisywali obrzędy, zwyczaje, weselne śpiewki. Raj tu mieli. Bo ta ziemia przeklęta była rajem dla etnografów. To zaprzałe białostockie bagno, utajone w cieniu Białowieskiej Puszczy. I ta Cisówka zatracona gdzieś w widłach Narwi i Świsłoczy takim rajem mogła być. Panowie – wykładał nam na uniwerku profesor – jeżeli przed wojną chcieliście znaleźć autentyczną słowiańską zadrugę, która charakteryzowała okres wspólnoty pierwotnej na naszym obszarze Europy, musieliście jechać – o – w te strony. I palcem kołował po mapie w rejonach Wołkowyska, Zabłudowa, Siemiatycz. I tej Cisówki także.

„Ludność nie zna tu samochodu. Spowodowany w celu obserwowania reakcji ludności przejazd auta, warkot motoru i trąbienie wywołały panikę wśród ludzi. Auto przejeżdżało przez opustoszałe wsie". Etnograf stawał w opłotkach, samochód wyjeżdżał z lasu, kurzyło się okropnie, a ludzie chodowali na strychy. Etnograf wszystko to zapisał. Gdzie to czytałem? Siądę na ławce, może sobie przypomnę. Już słyszę ten warkot i trąbienie. Chłop jedzie WFM-ką w pole. Grabie i widły przytroczone do motoru. Motor brzęczy gdzieś na horyzoncie, pod lasem. Słońce na las opada. Ludzie z pola jadą. Konie jak mleko, wozy na balonach.

Będzie co zwozić w tym roku? Ta pewnie, ta się taki zbiór szykuje, że nikt we wsi nie pamięta. Ani Wąsaty, ani Szczerbaty. I Łuksza Mikołaj mówi, że nie pamięta. Dziewięciu synów Łuksza ma, córkę zaś jedną. Chłop z niego, chłop z anatomii i społecznej przynależności. Łuksza z otwartym okiem chodzi, widzi, co się na wsi dzieje. Tu panie, dawniej, jak sklepikarz na wiosnę worek cukru przywiózł, do zimy nie mógł tego worka sprzedać. Po pińć, po dziesińć deka. A teraz workami cukier zwożą i ciągle go nie ma. Przed wojną dawali mi w komis radia, żebym sprzedawał. Ale radio przed wojną siedem krów stało. Nikt nie kupił. A dziś za jedną krowę mam piękne radio, „Stolica". Tedy w każdej chacie radio jest.

Z Łukszy filozof i dyskutant na zawołanie. Słucham, jak się spiera z sołtysem. Tu ziemia zła, mówi, socjalizm nieprędko się osiedli. Traktorem tu nie pojedzie. Pojedzie, mówi sołtys, co znaczy nie pojedzie. Pojedzie. Ale Łukszy nie o ten traktor chodzi, tylko o azotox. Stonka przyszła. Stonka to jest owad polityczny. Tyle że jak jej dać azotoxu, to się tylko skuli i ani drgnie. Ale azotoxu jest mało, chłopi sobie wyrywają. I nowy spór. Bo nie każdy azotox sobie równy. Jeden ma więcej metoksychloru, drugi lindanu, inny HCN. Nic mi te nazwy nie mówią, słucham tylko, jak je wymieniają.

Wśród takich filozofii przyszła noc. Nocą Janiel wrócił z roboty. Michał Janiel, robotnik kolejowy i gospodarz. Dwa hektary kwaśnej ziemi. Dzieciarni czwórka. Janiel robi przy torze. Kilofem kamienie podbija, żeby podkład trzymał mocno, bo kolej musi lecieć po równej szynie. Z tą specjalnością Janiel na delegację do Warszawy jeździ. A oto dlaczego: bo warszawscy robotnicy nie chcą tej roboty za taki pieniądz. Więc dyrekcja wozi takich Janielów po 200 kilometrów i więcej: Janiel się nie oprze. Ile zarabia? Odpowiada – 867 złotych. Odpowiada dokładnie, aby było widoczne, że jest te osiemset, ale jeszcze do tego i sześćdziesiąt, a potem nawet i siedem. I choć wymienia wszystko do grosza, żeby ta pensja miała jakiś okazalszy wygląd, pensja ma chudą prezencję. Więc Janiel liczy i liczy. Zawsze jak małe pieniądze, to wielkie liczenie. Głowa Janiela pełna jest myśli o złociakach. To na to, to na tamto. O żadnych wielkich sprawach z Janielem pogadać się nie da. Janiel nie wie, że świat jest absurdalny. Hegel toby go nazwał bublem. Sam Hegel był myślącym idealistą. Jego filozofia na głowie stała. Ale Marks by Janiela zrozumiał. Marks dużo liczył i robotnikom kazał uczyć się matematyki: Janiel, Łuksza, sołtys Lasota, Wąsaty i Szczerbaty – wszyscy liczą. Na wsi dużo jest teraz liczenia, kalkulacji i zamysłów. Takie tu łąki mamy, gdyby wodę do Narwi odpuścić, toby była hodowla na tysiąc krów. Cały kraj by się z tego wyżywił.

Chłop mówi: wieś. Ale mówi również: kraj. Cisówka wygrzebała się z bagien, z dzikiego zapadliska. Do bitej szosy było kilometrów 25. Do kolei 20. Było, ale nie jest. Leżał tu dawno tor, ślepy z jednego końca, ale drugim łączący się z Hajnówką. Ten tor nigdy nie był czynny. Chłopi torem szli – milicja mandat wzięła. To chłopów żgnęło. Piechotą, a jeszcze płacić. Zaczęli tarabanić do władz, delegacja pojechała do Ministerstwa Komunikacji. A decyzja Ministerstwa taka: damy kolej, jak zbudujecie stację. Chłopi konie zaprzęgli, ziemię zwieźli, peron był. Otwarcie w grudniu 1959. Mało jest takich przystanków. Przy samym torze zaczyna się wspaniały, pienny las. Na szczycie nasypu, pośrodku peronu, wkopany słup, na słupie naftowa lampka.

Ludzie schodzą się, siadają w lesie, czekają pociągu. Baby sobie pogwarzą, mężczyźni popalą. Ani się kto obejrzy, jak wpadnie srebrna strzała. Najlepszym pociągiem jeżdżą ludzie z Cisówki, bo mają nowoczesne dieslowskie lux-torpedy. Torpeda staje, ludzie się skrzykną po lesie, wsiądą, torpeda jedzie. Ja w tej torpedzie też. Przestronno. Komfortowo. Dwie kobiety siedzą naprzeciw i gadają. Jedna wiezie osiem pustych koszów. W tych koszach miała owoce na sprzedaż. Tak się pani męczy, mówi druga, nie szkoda zdrowia? – Pani, kiedy trzeba. Mąż dostaje 1200, a ja trzech synów mam w Warszawie na studiach. Jeden na politechnice, jeden na prawie i trzeci na ekonomicznej. Pani wie, póki człowiek zdrowy, toby dla tych dzieci wszystko. Tak, tak, kobito. Owszem. No, pani patrzy.

To i ja patrzę. Strzała śmiga, baby rajcują, z koszyka kura łypie maślanym ślepiem. A las jaki, wspaniały! Zielony cień, wilgotny zapach. Gdzie jesteś, drzewo wielkie i dumne? Rozgałęzione. Pociąg jedzie stuku-stuku, pociąg jedzie z daleka, słoneczko świeci w rytmie cza-cza.

Pięknie jest.

Ocalony na tratwie

– Ale meta – wołał asystent – bajka nie meta. – I zobaczysz Zeusa, dziwny bóg – dodał drugi asystent.

Reportaż o bogu! To mnie wzięło.

Jak mają grosz, gnają do tej mety co sobotę. Pielgrzymki zaczęli już w maju. Trochę za chłodno, ale nic: chłodno, za to pusto! Zajęcia kończą na uniwerku w południe, łapią za teczki, w tramwaj, na dworzec i już siedzą w pociągu. Linia na Działdowo, przesiadka na Brodnicę. Miejscami szosa biegnie obok toru. Szosą turlają się auta, motocykle, skutery. Ci dwaj przypatrują się temu, pewnie, że im nijako. Uczą dziejów literatury, zawód uczciwy, ale kokosów z tego nie ma.

Wagon kołysze, czytają książki.

Od stacji Tama Brodzka, piechotą przez las, idą do Stanicy Wodnej. Gniazdo domków rozsiadłe na płaskim stoku wzgórza nazywa się Bachotek. Asystenci prostują ramiona, czynią przysiady, wreszcie nieruchomieją. – Dzwoni? – pyta jeden. Nasłuchują. – Dzwoni! – szepcze drugi. – Co dzwoni? – pytam. (Widzę, że się wygłupiłem). Są oburzeni: – Cisza, człowieku, cisza dzwoni!

Biorą się do jedzenia. W gospodzie można dostać obiad. Gardzą tym. Z celebracją rozkładają kocher, gotują zupę ogonową w proszku. Woda kipi, zalewa ogień, parzy im ręce. Jedną łyżką jedzą na zmianę. Głodni – wmawiają sobie, że nigdy nie byli tak syci.

Już kajakiem suną po jeziorze. Ledwo ich dopędzam. Dostrzegają łabędzia. Wybucha spór, czy łabędź lata wysoko, czy nie. Jasne, że lata! Mieszczuchu, błądzisz! Kłócą się, szukają dowodów w literaturze. Kto mógł o tym pisać? Żeromski, Konopnicka? Daj spokój z Konopnicką, to nie jest wielka poezja! Przerażone ptactwo zrywa się z wody, zapada w szuwarach. Zawierają kompromis: dobrze, sprawdzą w encyklopedii.

Daleko brodzi czapla. Młócą wiosłami, pędzą w tamtą stronę. Zaraz zobaczą ją z bliska. Ale ptak słyszy hałas, unosi się w powietrze, odlatuje. Zawiedzeni, wyrzucają sobie: za wolno ciągnęliśmy. Na usprawiedliwienie jeden drugiemu pokazuje dłonie: są całe w pęcherzach.

Odkładają wiosła. – Będzie nas dryfować – mówi jeden. – Skądże, tu nie ma prądu – protestuje drugi. Kajak przesuwa się kilka metrów. Patrzą na zegarki, obliczają szybkość, z jaką unosi ich fala.

Hen, na tle lasu, porusza się przy brzegu jakaś sylwetka. – On! – wykrzykuje asystent. Wysilają wzrok (ucone, a ocy mają – powie potem ocalony). – Nie, to chyba nie on – powątpiewa kolega. – Jakże nie, tu nie ma poza nim innych ludzi – upiera się pierwszy. – Ale pamiętasz, tamten się natężał, a ten się wcale nie natęża, ten spaceruje – dowodzi przeciwnik. Dyskusja przeciąga się, dręczy ich niepewność. Podjadą bliżej, wtedy się wyjaśni.

Płyną, sylwetka rośnie, nabiera wyraźnych kształtów. W moich przyjaciół wstępuje duch zwycięstwa. Oczywiście, że on. Zapierając się drągiem w dno, samotny flisak wiedzie jeziorem tratwę.

– Dzień dobry, panie Jagielski! – mówią.

Flisak patrzy na nas, oczka mu błyskają prześmiesznie.

– A dzień dobry – odpowiada.

– Można się przysiąść? Nie będzie za ciężko?

– Ta co ciężko. Co to waży.

To (chodzi o naszą trójkę) nie waży więcej jak dwieście kilo. Balansujemy więc bez skrupułów po pniach w stronę Jagielskiego. Asystenci obmacują rękę flisaka. (Niesłychane – mówi mi potem jeden – myślałem, że to będzie dłoń ciężka, gruzłowata, twarda jak zelówka. A on ma skórę miękką, delikatną, powiedziałbym, że on ma skórkę!)

Józef Jagielski przygląda się nam, my – jemu. Chłopina z niego drobny, o cienkiej kości i pchlich muskułach. Szczupła twarz, z rzadkim wyblakłym zarostem, utajona w cieniu rozległego daszka. Wygląda na lat trzydzieści parę, a ma ich 25. Jest już po wojsku, ale jeszcze nie bierze żony (co ta się pośpieszać, panowie). Wojsko ma w jego życiu znaczenie, bo wtedy jechał koleją. Niedaleko jechał, ale jednak. Teraz już nie ma sposobności.

– A był pan w mieście? – pyta asystent.

– Toć pewnie, panowie, że byłem. W Brodnicy byłem, w Jabłonowie byłem i w Toruniu też byłem.

– A nad morzem pan był?

– E, nie. Nad morzem? To za daleko...

Rozglądam się po tratwie. Jest olbrzymia. Sosnowe pnie, przeschnięte, zbite po dwanaście – tworzą jeden człon. Drutem doczepiony jest człon drugi i następne. Razem ponad dwadzieścia. Tratwa długa, płot ciągnący się na 200 metrów. Montują go w lasach iławskich i stamtąd jeziorami i kanałami spławiają do Drwęcy. Drzewo płynie do tartaku. Płynie jakieś 120 kilometrów i tratwę holuje kolejno kilku flisaków. Jagielski jest jednym z nich, ma swój odcinek. Przeciągnie ładunek przez jezioro i robota skończona. Jedna więc tratwa daje zarobek paru ludziom. Ten łączny zysk podsumowany globalnie jest przedmiotem pragnień Jagielskiego.

- A o czym pan sobie marzy? - sonduje asystent.

- O, tam - wykręca się flisak.

- No, śmiało - przypiera asystent.

- Żeby tak mieć całą gotówkę, co jest przez miesiąc z tych tratw dla wszystkich.

- To znaczy ile?

- Strach, panowie, powiedzieć.

- No nie bójcie się.

Jagielski prostuje się, zdejmuje czapkę.

- Byłoby ze trzech tysiączków. A może nawet i ze czterech.

Bierze się zaciekle do roboty, żeby nie folgować sobie w tym idealizmie za bardzo. Zarabia miesięcznie 800-900 złotych. Stawka jest taka: za metr sześcienny drzewa przewieziony na odległość jednego kilometra dostaje 22 grosze. Jednego „Giewonta". Niby to robotnik, a pracuje jak chłop w polu. Mieszka na wsi, u brata, jemu oddaje pensję za jedzenie i kąt w izbie. Wstaje z kurami, zje zalewajki, weźmie w butelkę herbaty i rowerem jedzie do miejsca, gdzie czeka tratwa. Zetnie chojaka, okoruje go, wygładzi - ma drąg, narzędzie pracy.

Staje na tratwie.

- Reszta to już, panowie, łaska boska.

Ma wiatr przeciwny - nie ujdzie ani metra.

Wiatr z lewa - tratwę spycha do brzegu, zaczepia ją o szuwary.

Wiatr z prawa - tratwę ściąga na środek jeziora, głębina, nie może się odepchnąć drągiem, czeka na zbawienie.

Nie ma wiatru - cały wysiłek poruszania tej masy drzewa spoczywa na jego ramionach.

Mozół straszny.

Dobre wiatry nawiedzają go rzadko, najczęściej wiatr to przeciwnik. Ile przepłynie do wieczora? Jak dobrze pójdzie - 6 kilometrów (trafiało się i osiem - mówi z dumą). Musi płynąć oportunistycznie, dość daleko od brzegu, aby nie zahaczać, i dość blisko, żeby mieć grunt.

Asystentów zachwyca to, że Jagielski też czasem nie ma gruntu. Oni nie mają gruntu od dawna. W świecie nastąpił kryzys wartości, mówią, kompromitacja tradycyjnych instytucji, moralność straciła sens, uznane prawdy - zakwestionowano. Nie mają zaufania nawet do faktów, których uczą. Czy w tamtych wiekach też nie fałszowano tekstów? Człowiek działa pod terrorem okoliczności, jak tratwa zachowująca się zależnie od kierunku wiatru. Człowiek stracił grunt. Asystent balansując niebezpiecznie na pniu przywołuje świadectwo Pascala. (Odnalazłem tę cytatę: „Człowiek nie wie, jakie miejsce ma zająć; wyraźnie jest zbłąkany i strącony ze swego prawdziwego miejsca, bez możności odszukania go. Szuka go wszędzie, z niepokojem i bez skutku, w nieprzeniknionych mrokach"). Śledząc Jagielskiego, obserwują zjawisko utraty gruntu występujące nie abstrakcyjnie, ale konkretnie. Flisak penetruje wodę, zagłębia żerdź po rękojeść: nie ma dna. Czekają z napięciem, co uczyni.

Jagielski odkłada drąg.

Siada, wyciąga nogi.

- Trzeba czekać - ogłasza.

To zdanie uznają za genialne. Filozof - mówi jeden. - Prawdziwy filozof - potwierdza drugi. - Nie histeryzuje, nie odczuwa chandry, nie miota się, nie rozgorycza. Choć każda przeciwność natury obniża zarobek, flisak zachowuje spokój. Czekać - a grunt podejdzie. Grunt ucieka, a potem jest. Grunt musi być!

Czy lubi swoją pracę? Pewnie, że tak. W tartaku był kiedyś, ale odszedł. Za dużo kierowników. A tu Jagielski sam sobie kierownikiem. Może płynąć dniem albo nocą - jak sobie ułoży. W dzień dobrze i nocą przyjemnie. („Jak ciemno, to cichuńko tak, że aż człowieka gdzieś ściska"). Żeby nie było tylko złej pogody. Wtedy się namęczy, naszarpie, aż mu w oczach ciemnieje. Nieraz to się zwali na te pnie, wodą podbiegłe, i już mu wszystko jedno. Wtedy to nie ma różnicy - wspomina. Ostatniego Sylwestra tak naparł na drąg, że stracił równowagę i wpadł do wody. Wygrzebał się z lodowatej czeluści i ociekając wodą, poszedł w mroźną noc do domu: dziesięć kilometrów. („Takiem przyjął nowy rok: w rozmiękłych majtkach").

Więc nie był na zabawie! - wnioskują asystenci. Zabawy, rozrywki. Stawiają pytanie, czy flisak styka się z kulturą? Otóż - nie. W teatrze nie był nigdy, w kinie rok temu, telewizji nie widział, radia nie słucha, książki nie zdarzało się przeczytać, gazet też nie ogląda.

I z ludźmi mało gada.

Więc wielki świat do Jagielskiego żadną drogą nie dociera. Żadną wieścią. Ani nadzieją, ani niepokojem. Sensacją ni nudą. Nigdy niczym. Flisak nie wie o trzęsieniach ziemi, o rewoltach pałacowych, o losie U-2, o fiasku konferencji paryskiej, o rzymskiej Olimpiadzie. Nawet się nie dziwi, słuchając informacji asystentów.

- Ta, panowie, wszystko może być.

Nie pyta o szczegóły, nie prosi o jeszcze. Bierze się do drąga, bo złapał grunt.

Zachwyt asystentów: widzisz, nie dał się wciągnąć! Nasz świat to dla niego mielizna, którą omija. Nieświadomie omija, ale skutecznie. Może instynkt podszeptuje mu, że jak się ugrzęźnie na tym piachu, nie można się z niego już wydostać. Fatalne jest, że człowiek coraz to osiada na jakiejś mieliźnie. Domu, pracy, przyzwyczajeń. Jałowy, drętwy punkt. I nie ma wiatrów, żeby go zepchnęły na ostry nurt. Albo przychodzi taki wiatr, a on się kładzie plackiem: boi się, żeby go nie pchnął. A patrz, Jagielski - czeka wiatrów i prądów. Żyje z nimi i żyje z nich.

Nie dał się wciągnąć! - powtarzają zazdrośnie. - Jest niezależny. Zdaniem tych egzaltantów olimpijskość nie musi być okazała. Te czasy nie znoszą fasadowości. Przesadzają, upatrują pierwiastek boski (a więc coś, co jest niedostępne ludziom) - w niezależności. Ten flisak jest niezależny. Nazywają go tedy Zeusem. Że ma parcianą koszulę i dziurawe gumiaki? Nic to! Kłaniają mu się nisko, obmacują mu rękę, powtarzają jego odezwania jak aforyzmy.

- Panie Jagielski, a będzie pogoda? - pytają.

Flisak rozgląda się po niebie (czyta niebo - mówią) i odpychając z uporem drąg, aż mu się wybałusza w napięty łuk, powiada:

- Chmurzysków to jest, ale może se pójdą.

- Optymista! - podziwiają asystenci.

Piątek pod Grunwaldem

Na polu między Niemcami a armią królewską wznosiło się od strony Tannenberga kilka odwiecznych dębów, na które powłazili chłopi miejscowi, aby patrzeć na zapasy tych wojsk tak olbrzymich, jakich od niepamiętnych czasów świat nie widział.

Henryk Sienkiewicz (*Krzyżacy*)

Piątek ściągał pod Grunwald nie wierzchem ani piechotą, tylko wozem. Osobliwie wyglądała ta wyprawa, bo ci Piątek nie jechał sam czy z jakowąś drużyną, ale wiózł na ubitym sianie żonę i czworo dzieciaków, takoż tobół pierzyn i sprzętu co bardziej potrzebnego. Koń mu się lenił, więc ciął go batem, aż przerażone muchy odpadały od zapienionego zadu. Klął przy tym, że Bóg mu przebacz.

Żadnej bitwy nie zastał.

Owszem, okolica gorzała jeszcze gdzieniegdzie, czerniła się zgliszczami, cuchnęła wystałą spalenizną, a drogi pełne były wszelkiego rupiecia wojennego, ale szczęk oręża odebrzmiał już i zacichł, a w miejsce tego wdzięcznie kląskały skowronki i w jeziorach woda pluskała zgoła niebuńczucznie.

Zdało mu się tu pięknie, konia zatrzymał, zlazł z kozła, wziął do ręki garść ziemi, ważył ją długo, obniuchiwał.

– Gleba mi się zaraz spodobała – mówi Piątek, kiedy tak sobie wspominamy tamten ostatni rok ciężkiej wojny i nagłego po niej pokoju.

– Ziemia mnie nie zawiodła. Patrz pan, jakie żyto udane. Ciężkie w kłosach.

Łan zboża ciągnie się z kilometr, rozlewa się szeroko, prawie pod mogiłę Ulryka von Jungingen. Na skraju łanu leży rozłożona derka, a na derce Piątek i ja. Zimą Piątek woził drzewo na stodołę i pień zgruchotał mu kości biodra i uda. Kości się zrosły, ale Piątek chodzić nie może: brak mu sił, żeby władnąć nogą. Wystrugał więc z dębiny kule i na nich się wspiera. Jeśli jest pogodnie, wystawia zaraz bok do słońca w nadziei, że mu ciepłe promienie ściągną ową niemoc z tyłka. A teraz właśnie niebo się przetarło i Piątek wygrzewa ciało, zły na to wczasowanie, kiedy tyle roboty w polu.

Odkąd tak zaszwankował cieleśnie, gospodarka mu podupadła, a przecież był to kiedyś rolnik pierwszy, prawdziwy pan na grunwaldzkim polu. Przyjechał tu zaraz po wojnie, dostał dom i ziemię. Przyjechał z biedy mławskiego powiatu, licząc, że mu się poprawi na lepsze. Tam, w Niedziałkach pod Mławą, niczego się nie dorobił. Przed wojną zdążył zwieźć drzewa i cegły na chałupę, ale jej nie wystawił, bo mu Niemcy zabrali budulec. Swoją wojnę z okupantem Piątek toczył nie zbrojnie, ale ekonomicznie, na kamienie. Kazali mu wozić kamienie, trzydzieści kilometrów, pełny wóz. Piątek kładł worki ze słomą, na wierzch trochę kamieni i tak jeździł. Konia przez to nie strudził i po swojemu odemścił się na Niemcach.

W Grunwaldzie szybko się wybił. Umiał gospodarzyć, lubił pracę, a na zebraniach wysławiał się sprawnie. Został wójtem. Obowiązki swoje wypełniał. Z czasem przybyło mu dzieci, oddał więc urząd i zajął się tylko domem. Dokupił krów, rozbudował zagrodę.

Słucham tej relacji. Rozglądam się: płaska równina, kępy drzew, kartofliska.

– Wielka tu była bitwa – zaczynam.

– Kiedy nie – odpowiada – front przeszedł gładko.

Łapię się na tym, że mówimy o różnych wojnach. Ja go ciągnę w wir tamtej, feudalnej, a on trzyma się obrazów ostatniej, światowej. Przeczytałem Sienkiewicza, obejrzałem Matejkę, przestudiowałem Kuczyńskiego. Tędy nadeszła armia krzyżacka (pokazuję), tędy – Jagiełło (pokazuję), tu stało skrzydło litewskie (pokazuję). Piątek wodzi wzrokiem za moją ręką, rozgląda się, postękuje, bo go bolą zrosty. Straszna nawała rycerstwa, mówię. Światowe wydarzenie! Patrzę, czy mój zapał udziela się Piątkowi. Ale – nie. Oczy chłopa nie są rozognione. Raczej jest zatroskany. Nieśmiało i jąkając się, pyta:

– A nie zadepczą mi, panie, zboża?

– Jak to?

– A tak. Co się tu ma zebrać taka chmara z całej Polski.

Siedzimy na stoku nasypu. Grzbietem nasypu biegnie szosa. Ciągną po niej kolumny ciężarówek. Śmiechu, śpiewu, głosów co niemiara. Ten gwar napełnia powietrze beztroską wrzawą. Krzyżują się zawołania, przeplatają okrzyki. Samochody skręcają w boczną leśną drogę. Na polanie rozstawiono namioty, dymią kuchnie polowe. Z ciężarówek wysypuje się tłum, rozstawia się w grupy – kto na koncert, kto na odczyt, kto na spotkanie. Tego już Piątek nie widzi, bo o kulach by się tam nie zawlókł, ale wie, że oto w Grunwaldzie zlot młodzieży, że zjechał tu ogromny zastęp z całego kraju. Nawet mu się to podoba, że jego teren nabrał takiej wagi. Że tyle teraz znaczy.

Ale martwi się, czy mu tysiącem stóp nie przygniotą tego łanu, który tak obiecująco wyrósł.

– Myślałem już ogrodzić pole, ale nie poradzę.

– To chyba zbyteczne.

– Mówią, że będą skoczkowie. Na skoczków ogrodzenie nie pomoże.

Obaj rozważamy, jak postąpić. Piątek mnie upewnia: – To pole jest moje, panie, mam na to papiery. Nadanie mam i kwity podatkowe. Podatki opłacone. Odstawy terminowe. Wszystko w porządku. – Przecież mu wierzę, mówię. To wasza ziemia. – Rad jest, że ma we mnie sojusznika. Może coś wspólnie umyślimy?

– Oni pobędą trochę i pojadą. A ja tu, panie, zostanę.

Piątek nie chce się z Grunwaldu ruszyć. Tu mu się poprawiło, tu ma hektary i zagrodę. Dzieci posyła do szkół, żonie kupił pralkę. Gdyby miał więcej fantazji, mógłby powiedzieć:

– O ten spłacheć gruntu walczył dla mnie sam król!

Ale Piątek historią się nie zajmuje. Ważna jest ziemia. Wierzchem ziemi od wieków przetaczają się wojny. Ziemia tętni kopytami, chrzęści gąsienicami czołgów, gnie się pod ciosami bomb. Ale rodzi, rozmnaża kłosy, wydaje plon. Wojny mijają, a w ziemi soki krążą zawsze. Ziemia przyjmie ciepły deszcz i cuchnący nawóz, sypkie fosfaty i krzepnącą krew. Przyjmie wszystko, a odda zawsze tylko jednym: ziarnem. Wobec tego procesu wiecznej przemiany i owocowania, który daje Piątkowi żyć, nie ma znaczenia, w których miejscach toczy się bitwy. Kiedy i jakie. Ziemia i tak wyda plon. Piątek i tak go zbierze.

Reklama pasty do zębów

Saks zaskowytał rozdzierająco i Marian Jesion krzyknął: - No to ruszamy, chłopaki. - Na leśnej drodze pośród bezbrzeżnych ciemności babcia Jesionowa westchnęła rozdygotanym szeptem: - O Boże. - Te trzy głosy, wydobyte jednocześnie, choć tak wyraźnie niezbieżne, legną kamieniem na wieś Pratki w powiecie ełckim.

Dziewczęta z Pratek opowiadają mi, że to była piękna zabawa. Orkiestra przyjechała z samego Olsztyna. Z orkiestrą zjawiło się dwoje ludzi: fantastyczny gość, który odstawiał numery, i pieśniarka fasonowo stapirowana, tylko że jakby zbyt ościasta. Remiza była zamieciona, wszystkie okna wymyte. Bardzo udały się efekty: poprzez szeleszczącą zwiewność krepiny spływało na salę światło czerwone i niebieskie. Na ścianie prawej, biorąc od wejścia, było więcej błękitu, a znowu na lewej płonęła zachłanna czerwień. Dziewczęta stanęły po stronie niebieskiej, a chłopcy po stronie czerwonej. Dzieliła ich rozbarwiona przestrzeń remizy z wpiętą pośrodku broszą orkiestry, ale oczywiście widzieli się dobrze. We wsi jest piętnaście dziewcząt i jest czterech chłopców. Dziewczęta widziały teraz tych chłopców, jak stali sztywno w nastrojowej czerni garniturów, ze sztucznym tworzywem na gumce pod brodą, zbrylantynowani władcy świata w obłokach zapachu wody kolońskiej „Derby" (Lechia, Poznań). Chłopcy spoglądali z namysłem w stronę dziewcząt, oceniali jakość ich szpilek, nylonowych sukienek i czeskiej biżuterii, obracając w głowie wiadome plany, których realizację odkładali na później.

Dziewczęta mówią mi, że na początku wojewódzki saksofonista z Olsztyna zagrał przebój sezonu pt. *24 000 pocałunków*. Usłyszawszy go, Marian Jesion krzyknął: - No to ruszamy, chłopaki.

Ale nikt nawet nie drgnął.

Powstała pełna napięcia cisza.

Czterech chłopców płonęło amarantowo po lewej stronie remizy, a piętnaście dziewcząt niebieściło się po stronie prawej. Wiadomo, dlaczego powstała ta pełna napięcia cisza, w której wojewódzki saksofonista skowytał rozdzierająco. Ona wynikła z arytmetyki.

15:4 jest dobrym rezultatem w szczypiorniaku, ale stanowi fatalną dysproporcję na zabawie o tak wyjątkowym blasku (orkiestra z Olsztyna, bardzo udane efekty).

Cisza szła od czerwonych, którzy w skupieniu dokonywali wyboru, i emanowała od niebieskich, jako że ich nadzieja była bezgłośna jak milczenie gwiazd. Wszyscy wiedzieli, ile rzeczy we wsi będzie zależało od tego, co się stanie za moment, więc nikt nie zachęcał więcej do lekkomyślnych posunięć. Wreszcie czterech z lewej przeszło na drugą stronę i powiedziało do czterech z błękitu tradycyjną formułę:

– Ta se zawalcuim, nie?

Słowo „nie" miało tu zresztą charakter formuły absolutnie retorycznej, użytej wyłącznie po to, aby zdanie nabrało płynnej, sienkiewiczowskiej kadencji. Gdyby któraś z dziewcząt odpowiedziała „nie" – spędziłaby resztę żywota w dwuznacznym stanie panieńskim. Dlatego cztery z błękitu odparły: – Ta pewni – i pary wyszły na środek. Wojewódzki saksofonista przydał dechu złocistym klapkom instrumentu, a Marian Jesion krzyknął coś donośnie. Człowiek i instrument musieli zachować się tak głośno, aby zagłuszyć rozdygotany szept babci Jesionowej, która stanąwszy na drodze pośród bezbrzeżnych ciemności, spytała: O Boże, dlaczego on mi to zrobił?

Cztery pary dokonały pierwszych obrotów. Były one precyzyjnie skalkulowane, euklidesowe i formalistyczne, jak odwieczne ruchy planet albo okołoziemskie tory sputników. Te, które zostały po niebieskiej stronie remizy, patrzyły z mieszaniną zazdrości i krytycyzmu. Część łudziła się, że przyjadą jeszcze żołnierze. Żołnierze przyjeżdżali z Ełku, zawsze ci sami. Przywoził ich Kazik, szczupły brunet, kapral kulturalny. Kazik przeczytał dużo książek i obejrzał siedemset filmów. Każdy film zapisuje w notesie, a co kwartał podlicza. Do końca służby może będzie miał osiemset filmów. Kazik jest jednak niewierny, bo każdej mówi to samo. – A co mówi? – pytam. Śmieją się, wreszcie jedna powtarza. – On mówi: „Dziewczyno, ja wypiję rozkosz z każdej komórki twego ciała". – Warszawiak jest ten Kazik, dlatego taki inteligentny. Żołnierze są niebezpieczni, bo to raptusy. Dostają przepustkę do 10 wieczór i wszystko chcą mieć załatwione na czas. Nie uznają żadnej kontemplacji, od razu narzucają tempo. W takim pośpiechu dziewczyna może się zapomnieć, a potem to już zostaje tylko śmierć. – Jak to śmierć? – spytałem. – A tak. Co jej potem innego zostaje? Tylko się zabić. Już lepsi są ci pratkowscy, chociaż oni też się wiercą za bardzo.

Saksofon wybulgotał ostatnią frazę szlagieru i pary przerwały geometryczne ewolucje. Czterech spod ściany wyszło za remizę, gdzie w krzaku jałowca stała odbita flacha. To sobie ją obciągnęli. Dziewczęta mówią mi, że taki jest zwyczaj i że to dobre, bo wtedy stają się żwawsi. Jak za dużo, to nie jest dobre, ale jak trochę, to dobre. Chłopcy wrócili na beton remizy i mieli twarze jak po ciężkim wysiłku. W serca dziewcząt znowu wstąpiła nadzieja bezgłośna jak milczenie gwiazd.

Dotrzymując kroku najnowszym osiągnięciom, orkiestra wojewódzka zagrała *Dayanę* i chuda szyja ościstej pieśniarki podbiegła szkarłatem żył. Cztery następne zostały wywiedzione spod ściany na środek, gdzie czerwień zbełtana z niebieskim osiadła dostojnym fioletem. Znowu pary zaczęły w skupieniu cyrklować beton remizy pod takt piosenki odśpiewanej z biglem przez ościstą.

Po tym kawałku, jak mi opowiadają dziewczęta, chłopcy się zakotłowali. One nie wiedzą, o co poszło w tym gwałtownym i drapieżnym zakotłowaniu. Dziewczęta uważają, że jeśli jest bójka na zabawie, to nie ma ona żadnego celu doraźnego, tylko cel dalszy i niejako metafizyczny: jest potrzebna dla wspomnień. Ponieważ zabawa utonie w niepamięci jak kamień w jeziorze i wody czasu się nad nią zstąpią. Sama zabawa jest drewniana i chochołowata, albowiem trwają zbyt wielkie opory przeciwne wyżyciu. W bójce nie ma oporów i dlatego wyżycie jest pełne. W bójce jest wszystko, co pamięć ludzka długo przechowuje: krew, ból, wzrok porażony nienawiścią, kolący dreszcz śmierci. Wieś będzie odtwarzać szczegóły bójki, a nazwiska jej uczestników zostaną wielokrotnie powtórzone.

Przy walczyku, jaki nastąpił po bójce, pary obrały szyk nakazany przez fantastycznego gościa, który przyjechał odstawiać numery. Mijali orkiestrę krokiem, jaki obowiązuje podczas chodzenia niedzielnego. Dziewczęta mówią mi, że chodzenie odbywa się we wsi każdej niedzieli. Najpierw chłopak pojawia się u dziewczyny i pyta: – Będziesz ze mną chodzić? – Dziewczyna musi zaprowadzić go do ojca, ojciec musi porozmawiać z chłopakiem. Na tę okazję amant odpala flaszkę, jako że gadanie na sucho jest jak pierze na wichrze. Legalizują czynność chodzenia. Chodzi się po wsi od numeru pierwszego do ostatniego i z powrotem. Do lasu nie można, bo to jest potępiane. Czasami pośród spełniania tego jałowego i mozolnego zabiegu padają jakieś słowa. – Więc o czym mówicie? – spytałem. Jedna odparła: – A tak tam – z tego nie mogłem wydedukować, czy te rozmowy są ciekawe, czy nudne, jako że nie posiadam talentu egiptologów zdolnych z jednego hieroglifu wysnuć burzliwe dzieje dynastii.

Zdaniem dziewcząt, ich koleżanki po innych wsiach, gdzie stosunek płci nie jest tak rażąco dysproporcjonalny, są bardziej szczęśliwe, gdyż mogą pogrymasić. One mogą pogrymasić przy wyborze chłopca. Jeżeli przyjdzie on z tym zaproszeniem do globtroterowania, dziewczyna najpierw go zapyta: – Ty idziesz do miasta czy zostajesz na gospodarce? – Jeżeli ma zamiar zostać na gospodarce, dziewczyna go odprawi: – Chodź sobie sam. – Przy takim chłopaku nie ma nadziei, że wyjdzie się ze wsi, a one by wszystkie chciały wyjechać do miasta. – Dlaczego? – pytam. – Bo w mieście jest mnóstwo kin i ludzie nic nie robią. – Ale za to w mieście niebezpiecznie – mówię – jest dużo wypadków. – A to co, u nas też są wypadki. Niedawno jedna poszła dawać kurom, poślizgnęła się i złamała rękę. Też przecież wypadek.

Fantastyczny gość z województwa odstawił swoje numery. Potrafił on z powietrza wyczarować flagę, którą zawiesił na specjalnie przygotowanym drzewcu. Orkiestra zagrała hymn, oścista wyprężyła się na estradzie. To był finał walcowania, koniec obrotów planetarnych, czerwień i błękit utraciły swoją metaforyczną wymowę. Bramy remizy otwarły się i w tunel nocy wstąpiły cztery przytulone pary. Za moment ich śladem wyruszyła grupa sztywnych, milczących i urażonych. Było to jedenaście niewybranych, rzuconych na pastwę samotności, opuszczenia i nocy. Tej samej nocy, w której babcia Jesionowa już u kresu sił zdołała wyszeptać na leśnej drodze: – O Boże, dlaczego on?

I zemdlała.

Wóz milicyjny przywiózł babcię do domu starców w Nowej Wsi pod Ełkiem. Siedzi teraz na ławce i rozciera wzdęte goścem kolana. – Nie, panowie – sepleni – on mnie nie wyrzucił, tylko powiedział: „Babcia idzie ze wsi". – W istocie to zdanie nie brzmi groźnie. Jest raczej jakby wyjęte z elementarza, opisowe, relacjonujące: Babcia idzie ze wsi. Dlaczego on to babci powiedział? Babcia się namyśla: – A bo izba ciasna, a mój wnuk, panowie, Marian Jesion, będzie robił żeniaczkę. Jego już wzięła potrzeba. On mi tak powiedział: „Babciu, mnie wzięła potrzeba".

Stąd więc tego wieczoru, kiedy odbyła się piękna zabawa z bardzo udanymi efektami, babcia Jesionowa wkroczyła w odmęty ciemności, idąc przed siebie w nieznane, w świat. Babcia wkroczyła w ciemności, a jej wnuk, Marian Jesion, w nastrojowej czerni garnituru, zbrylantynowany władca świata w obłokach zapachu wody kolońskiej „Derby" (Lechia, Poznań), tańczył szałowy, a zarazem wstrząsający przebój sezonu – *24 000 pocałunków*, wyskowytany rozdzierająco przez wojewódzkiego saksofonistę.

I wszystko jest w porządku.

Marian Jesion zaspokoi swoją dręczącą potrzebę, a babcia będzie miała państwowy dach i państwową miskę grochówki z boczkiem.

A oto co się zmieni – ponieważ w domu Jesionów ubyło jednej gęby, wydatki ulegną redukcji i potrzebujący Marian będzie mógł sobie kupić plastikowy krawat na gumce. Jest to niewątpliwie symbol nowoczesności, a w Pratkach idzie wielki kurs na nowoczesność. Moje dziewczęta mówią, że teraz ludzie kupują wszystko. Maszyny, wuefemki, tapczany i zegarki. Ludzie zabiegają o radia, garnitury, kryształy i pralki. W zupełnym zaufaniu dziewczęta opowiadają mi, że niektórzy, aby sprostać tej powszechnej tendencji awansu materialnego, po prostu kradną. Więc choćby kucharki z sąsiedniego PGR-u kradną mięso. I jakie sprytne są! One wynoszą schaby i podgardla w kubłach z pomyjami. Potem tylko opłukują przy studni i wieś już może kupować. Stąd też przy pogodnej niedzieli sprytne kucharki mogą oblec swoje dzwoniaste biusty w błękitną mgiełkę kosztownych bluzek z szyfonu.

– Czy wiecie, że kradzież jest grzechem? – pytam. Moje urocze dziewczęta z Pratek śmieją się, ale nie jest to śmiech żywiołowy, perlisty i olśniewający, lecz groteskowy, klownowaty grymas śmiechu, przy którym usta rozciągają się od ucha do ucha, ale pozostają szczelnie zaciśnięte, a same trzewia niejako autonomicznie wstrząsają się histeryczną drgawką. One muszą się tak śmiać, ponieważ nie mają zębów, albo ściślej, mają ich kilka, rozstawionych gdzieniegdzie, z rzadka, jak zmurszałe paliki na opuszczonej przecince.

Jako źle wychowany, jako notoryczny chamuś, pytam moje dziewczęta: – Dlaczego, babki, nie myjecie zębów? – Ale po co się o to pytać? Całe Pratki nie myją zębów. Pratki żują te schaby spustoszoną nagością dziąseł, a chłopcy mamlą starczo kęs kwaszonego ogórka po wypiciu kielicha gorzały. Kawalerka pratkowska kupuje sobie motocykle, a dziewczęta nabywają za słony grosz przebojowe halki z organdyny i dlatego nikogo nie stać na tubkę pasty „Odonto" (Lechia, Poznań) za trzy złote i pięć groszy. Myślałem już wszcząć kampanię o zniżkę ceny na pastę do zębów, a zwłaszcza o zaniechanie tych pięciu groszy w cenie sprzedażnej, bo może one powstrzymują ludzi, którzy muszą sobie kupić kolekcję kryształów, przed nadmiernym i wycieńczającym budżet wydatkiem. Liczyłem na to, że zwerbuję zastęp sojuszników i że cała sprawa znajdzie przychylny oddźwięk w Ministerstwie. Że się poruszą czynniki i że specjalnym zarządzeniem ta bariera pięciu groszy zostanie raz na zawsze usunięta.

Ale potem przeprowadziłem inne rozumowanie. Skoro nie myją zębów i nawet myśl o tej czynności nie przyszła im do głowy, nie mogły interesować się ceną pasty do zębów „Odonto" (Lechia, Poznań), wynoszącą 3,05 zł, ani rozważać faktu owych pięciu groszy nadgorliwie dorzuconych do okrągłej sumy złotych trzech. Omawiana zasada higieniczna nie jest tam przestrzegana dlatego, że pratkowianom nie powiedziano słowa w tej sprawie, a nikt we wsi nie wpadł samodzielnie i spontanicznie na pomysł mycia zębów.

I to jest cała prawda.

Ta prawda mianowicie, że Pratki tańczą najnowsze. szałowe przeboje, rozbijają się na wuefemkach, kupują na zapas telewizory, nabywają elektryczne maszyny do szycia i zasłonki mistrza Pikasa, a zarazem bożyszczem Pratek pozostaje wojewódzki debil, który odstawia fantastyczne numery, zarazem Pratki wypędzają schorowaną staruszkę w nieznane, leją się w zapienionej nienawiści po mordach i nie myją zębów.

Tak rozmyślając popadłem z punktu w idealizm i zacząłem marzyć. Marzyło mi się, aby kosztem nadania trzech płyt z muzyką do tańca jakaś rzeczowa osoba w radio powiedziała kilka słów o tych zębach. Że trzeba położyć pasty na szczoteczkę, że trzeba pocierać nią ruchem zwrotnoposuwistym i że trzeba tego potem nie połknąć, a wypluć. Że istnieje nadzieja na obniżkę ceny jednej tubki do trzech złotych. Marzyłem dalej, aby instruktor z powiatu, który obsługuje kolejne zebranie partyjne, już po omówieniu spraw decydujących dla dalszego rozkwitu naszej ojczyzny, zechciał mimo woli i zupełnie na marginesie zapytać: A jak tam z zębami, towarzysze? Myjecie wy te zęby czy nie?

Bo do Pratek wyeksportowano maszyny i nylonowe krawaty, szyfonowe bluzki i rozłożyste tapczany, ale nie nazbyt się ktoś pokwapił, żeby zaszczepić tam kilka elementarnych pojęć z zakresu elementarnej kultury.

Że babcia i że zęby.

Niby różne sprawy, ale nie tak przecież zupełnie.

Siły na zamiary

W izbie jest setka dzieci. Część stoi pod ścianą, część pisze: „Ala ma kota", reszta dulczy: – A to pies Oli. Duszno, cuchnie gnojem onuc, potem, brudnymi zębami. Lampa naftowa przygasa. To była tamta szkoła – mówi – przed pół wiekiem. Chłopi bili się, żeby była. Chłopi chcieli wiedzy.

Lampa gaśnie w zaduchu, bo taka jej właściwość. On to wie. Sam odrabiał przy nafcie lekcje, podkręcał knota i obliczał równania o dwóch niewiadomych. Wtedy miał swój kąt w stodole, ojciec dopiero budował dom. Dom wygląda dziś jak dziesięć innych w jego wsi, w Ładzicach pod Radomskiem. Był tam ostatnio latem, kosił siano. Od dziewięciu lat mieszka w Warszawie, ale jeździ co roku do tych Ładzic. Kiedy się zjawia, ludzie przychodzą, szukają rady, pisze im podania. Jestem wtedy wśród swoich, mówię ich językiem, odnajduję siebie. Nieraz chce mi się rzucić miasto, wrócić do wsi na stałe, mieć spokój, zaciszny skrawek ziemi. Ale to już nie jest możliwe.

Zostaje w Warszawie. Przyjechał tu w roku 1951 na uniwersytet. Dziadek miał na wsi trochę książek, dziadek rozczytywał się w literaturze. A on razem z nim. Smakował w lekturach, książki mówiły o historii. Przygodne tytuły, rozrzucone epoki, rojowisko dat i nazwisk. Zapisał się na wydział historii. W tym czasie uczelnie zapełniła fala młodych ludzi, których zdumiewało wszystko – wielkie miasto, światła ulic, cisza pracowni naukowych, nastrój audytoriów. Przyjeżdżali ze wsi, z małych miasteczek. Przynosili z sobą zapach przysiółków, zagapienie prowincjuszy, twardą wolę zakuwaczy. Siadali w ostatnich ławkach, pilnie, choć powolnie notowali, nie zadawali pytań w obawie przed kompromitacją. Studiowali najbłahsze zarządzenia dziekanatu z tą samą drobiazgową dokładnością, jaką było w zwyczaju zachować w gminie przy lekturze obwieszczeń wójta. Podłą produkcję stołówek wchłaniali bez szemrania, znosili ustępliwie kpiny sprzątaczek w Akademikach. W tychże Akademikach nocami zagłębiali się w skrypty, wertowali je po sto razy, zasypiali z obolałymi głowami na rozłożonych książkach. Potem drzemali na ćwiczeniach albo wpatrywali się przekrwionymi od niewyspania oczyma w wykładowcę, który mówił rzeczy zdumiewające i niepojęte. Na egzaminach siadali na skraju krzesła, zdania lepili z wysiłkiem, ocierali o spodnie zapocone dłonie. Profesorowie patrzyli na nich z zaciekawieniem zaprawionym ironią. Coraz to któryś z przybyszów pakował się i wracał do domu z kuferkiem jak żołnierz po odbytej służbie. Wielu odpadało, ale on wytrwał. Też chodził oszołomiony, też kuł, też trzeszczała mu głowa. Ale dał radę.

Miał za sobą niewiele życia, dziewiętnaście lat, ale to życie było twarde, wystawione na wichry, doświadczone. Dziesięciolatek, jeszcze w czasie wojny był u kułaka pastuchem. Ojca trzymali w niewoli, matka chorowała, siostra była mała - pastuszył za litr mleka dziennie. Miał stryja, fornala we dworze. Stryj dowodził w okolicy partyzantką AL. Po wyzwoleniu sekretarzował w PPR. Brał go na gminne zebrania, które odbywały się na posterunku milicji, pod ochroną wart. Umiał pisać, więc robił na tych zebraniach protokoły. Wreszcie założył z innymi koło ZWM. W 1947 roku został przewodniczącym koła. Miał piętnaście lat. Po wsi paradował z karabinem: w okolicy buszowały bandy.

Do Radomska, do gimnazjum, chodził codziennie. Dwanaście kilometrów w obie strony. Od 1948 roku był w ZMP. Działał, jeździł po wsiach, zakładał koła, agitował, organizował zebrania.

A po maturze pojechał do Nowej Huty. Zgłosił się do SP. Adres: 39. brygada, Pleszewo. Praca: kopanie kanału. Narzędzia: łopata i taczki. Żyje wielu ludzi, którzy pamiętają tamten rok i Nową Hutę. Którzy pamiętają Pleszewo, ów kanał i 39. brygadę SP. Brygada stała po kolana w błocie i wodzie, tysiąc par butów dźwigało nieodmiennie ciężar tysiąca kilogramów gliny. Brygada spała w namiotach, żywiła się pod gołym niebem, upijała się sikaczem „Czar PGR", 9,40 za butelkę. Brygada pracowała z zaciekłym uporem, grzęzła w mule i szła naprzód. Zawsze, jeśli przyjeżdżała zagraniczna wycieczka, pokazywano jej 39. brygadę.

Pracował w tej brygadzie. Tu rzucił hasło współzawodnictwa. Wtedy mówiło się - chłopak za tyle a tyle normy. Była bardzo ważna ta norma. Miał jej najpierw 150 procent, morderczym wysiłkiem doszedł do 600 procent. Żeby tyle wyciągnąć, pracował od trzeciej w nocy przez cały dzień do późnego wieczora. Prawie nie spał. Ale roznosił go zapał, miał siłę, zaciekłość i praktykę. Był przodownikiem w brygadzie, w województwie i wreszcie zdobył pierwsze miejsce w Polsce we współzawodnictwie SP. Przywiózł z Nowej Huty sześć nagród, kilka medali, twarde odciski na dłoniach. I poszedł na uniwersytet.

Bierz się człowieku - mówiłem sobie - bierz się, bo marny twój los. Chciał nadrobić braki, umiejętność wiązania snopów nie przydawała się przy lekturze starożytnych dokumentów. Umiał się skupiać, redukować zachcianki, robić jedno, tylko jedno: uczyć się. Tak szedł przez studia, rok po roku. Był działaczem partyjnym, pracował w Komitecie Uczelnianym. Wielu mu zazdrościło: ten ma pochodzenie! Szczęśliwy człowiek!

Studia skończył w roku pięćdziesiątym piątym. Nie wrócił na wieś, nie poszedł do szkoły. Chciał się uczyć dalej. Dostał aspiranturę w PAN-ie. Zaczął zbierać materiały do pracy doktorskiej. To trwało trzy lata. Przeczytał ponad trzysta książek, przerzucił setki tek archiwalnych w Warszawie, w województwach, w Moskwie i Leningradzie. Poruszał się w obszarze spraw niezbadanych, w historii, którą trzeba było po raz pierwszy napisać. Ta praca jest dziś gotowa. Ma blisko trzysta stron i nazywa się: „Wieś Królestwa Polskiego wobec upowszechnienia oświaty w latach 1905-1914". Na dole tytułowej kartki nazwisko autora: ZENON KMIECIK. Przy okazji ogłosił kilka artykułów i wydaje zbiór dokumentów „Postępowa myśl oświatowa w Królestwie Polskim w latach 1905-1914". O aspiranturze mówi zdawkowo: To okres szary, bez wielkich świateł. Od rana do wieczora - biblioteka i archiwum. Lektura i notatki. Od czasu do czasu radość jakiegoś odkrycia. W moskiewskim archiwum znalazłem akta redakcji chłopskiego „Zarania". Otóż wynika z nich, że hasło „1000 szkół na Tysiąclecie" ma swoją tradycję. W 1910 roku, w 500. rocznicę Grunwaldu, chłopi wystąpili z inicjatywą zbiórki na budowę szkół. Hasło brzmiało: „Niech więcej dzieci nie będą w niewoli u bydła". Z zebranych pieniędzy utrzymywano szkoły zaraniarskie, w tych latach światłe i postępowe. Albo, wiesz, były takie szkółki, które istniały przy karczmach. Karczmarz uczył dzieci żydowskie i polskie. Groziła mu zsyłka, ale szkołę prowadził. Carska władza popijała w karczmie wódkę, a przez ścianę dzieciarnia uczyła się polskiego.

W tamtych latach wieś próbowała wydostać się na powierzchnię, przebić okno na świat. Dlatego wybrałem ten okres i ten problem. Jest mi bliski: pasjonowali mnie ludzie, którzy własnymi siłami chcieli do czegoś dojść, którzy nie tylko uczyli się, ale musieli również walczyć. Jakie były ich losy? Czym się kończyły zmagania?

Pisał tę pracę trochę jak własny życiorys. Temat leżał w kręgu jego doświadczeń, odczuć i przemyśleń. Jest to praca o próbie wyprostowania grzbietu, o wysiłku stania na własnych nogach, o trudzie dźwigania wzwyż.

Jest człowiek, bez którego koleje pracy doktorskiej byłyby niewyraźne. To profesor. Seminaria profesora Jabłońskiego są zawsze przeżyciem. Wśród dziesiątków zajęć znajduje godziny, żeby rozważyć kłopoty swojego ucznia, podsunąć mu rozwiązania, czuwać nad jego postępem. O profesorze mówi się - mistrz. Więc - widziałem mistrza, rozmawiałem z mistrzem. Tak się przyjęło.

Teraz jeden z jego wychowanków robi doktorat. Kuje do egzaminu, znowu nie wychodzi z biblioteki. Mówi, powtarzając nieświadomie myśl Hemingwaya: Zawsze stawiam na pracę. Praca mnie nie zawiedzie.

Wydma

Wydmę odkrył Trofim.

W pięćdziesiątym dziewiątym ważny z powiatu zapytał go: Pilnować umiecie? Trofim się zastanowił: Czemu nie? Na to ważny powiedział: Niech jedzie. Zawieźli go wozem na miejsce. Stanął na podwórzu, rozejrzał się.

Otoczył go świat zmarnowany.

Zielsko, wyżarte rdzą maszyny, drzwi leciały z zawiasów. Niebo jest piękne, a ziemia jaka podła – mógł pomyśleć, bo taką ma filozofię. Ścieżką poszedł do jeziora i trafił na Wydmę. Wiatr trącał o piasek, piasek drżał i śpiewał. Trofim posłuchał tej muzyki:

Muzyka jak przeniknie w samotności, odejmuje człowiekowi ból.

Popaliłem sobie i myślę: To chyba zostanę. Koń był, tom konia nakarmił. Trochę sprzątnąłem, ale wiele to ja nie zrobię, bo mam sztywną rękę.

Potem przysłali Ryśka. Skąd jesteś? – wypytał Trofim. Rysiek powiedział, że z wypadku. Dziura w czole, osiem złamań. Zaraz coś sobie przypomnę, panie redaktorze, choć się nie mogę zamyślać, bo mi trzeszczy w mózgu. Pamiętam, że miałem żonę i miałem motor. Pić to piłem ciężko. Jak już leciałem z nóg, to żona mnie wlekła do motoru i mówiła: Na, jedź. Zawsze trzeźwiałem w jeździe. A ten ostatni raz to nic nie wiem. W szpitalu leżałem dwa miesiące bez świadomości.

Trzydzieści pięć lat wyleciało mu z życia. Jeśli Ryśkowi przyjdzie umrzeć w okolicach sześćdziesiątki, odejdzie udręczony myślą, że zostawia świat jako dwudziestopięcioletni chłopak, przed którym wiele się dopiero otwiera. Takie zejście jest szczególnie ciężkie i Trofim mistyk uważa, że będzie ono prawdziwą karą za grzeszne życie Ryśka, bo jeśli Bóg otwiera komuś konto potępień, to już je pedantycznie realizuje aż do ostatniej pozycji. Ryśkowi pozostał z wypadku wzrok rozdwojony. Wszystko widzi zdublowane. Dwie twarze, dwie kobiety, dwie miski barszczu. Piękne jest to, że Rysiek widzi dwa księżyce, jak Mickiewicz nad Świtezią. Ma talent do zegarków. Ludzie znoszą mu z okolicy jakieś antyki, a Rysiek wieczorami naprawia. Taki gruchot leży przed nim bezwładny i nieruchomy. Wreszcie zaczyna tykać. Pochylony Rysiek nasłuchuje, jak przez mechanizm płynie strumień czasu, podobny niewidocznej rzece omywającej podziemne skały. Możeś ty był zegarmistrzem – dociekał Trofim. Może – odpowiada Rysiek z wahaniem, bo wszystko jest przecież takie niepewne.

Trzeci był na Wydmie Sienkiewicz. Wydma leży na końcu świata i w milicji myśleli, że dziadek stąd nie ucieknie. Sienkiewicz minął siedem krzyżyków i zatrudnia się jako żebrak. W dziadku osiedliła się żądna dusza Rockefellera, zachłanna dusza ciułacza kapitału. A cwany jest! Dziadek pogardza kruchtowym labidzeniem i chodzi od wsi do wsi, mówiąc, że zgorzał. Widmo pożogi trafia do ludzkiej wyobraźni, więc Sienkiewicz ciuła spory grosz. Zawsze tak pokieruje, żeby u końca wędrówki znaleźć się w wojewódzkim mieście. Da się tam przyłapać milicji i milicja odwozi go swoim autem na Wydmę. Tym sposobem dziadek oszczędza na podróżach i cały zysk Edek Partyjniak wpłaca mu na książeczkę PKO. Poprosiłem Sienkiewicza, żeby mi tę książeczkę pokazał. Miał tam sumę 9365 złotych i 15 groszy.

– Jaki łasy – mówi Trofim – życia by jeszcze chciał złapać.

Życie przypierało ich do ziemi. Świat zmarniał, za oknem plenił się oset. Na Wydmie śpiewał piasek. Siostrą Wydmy jest Sahara, a drugą siostrą jest Gobi. Nie ma człowieka, który by przeszedł od Sahary do Wydmy Trofima. To świadczy o wielkości świata. Gdzieś na ziemi są pola tulipanów, a ludziom dana jest miłość. Trofim nie zna miłości i dziadek Sienkiewicz też nie. Może zna ją Rysiek, ale on widzi za sobą tylko mrok. W mroku stoi kobieta, ale to nie jest to samo.

Nikt nie wie, co by zobaczył, gdyby się znalazł bardzo daleko od Wydmy. Trofim był w Mławie, a Sienkiewicz w Olsztynie i Białymstoku. Najdalej zaniosło Ryśka, ale z tamtego świata nie wraca się z pamięcią. To jest Trofim, to Sienkiewicz, a to Rysiek. Świat pędzi, bije rekordy, rakietami strzela do gwiazd. Ale niech ktoś spojrzy na Wydmę. Niech ktoś zobaczy, jak zdycha koń, jak drzwi lecą z zawiasów. Może przyjdzie jakiś człowiek, który to wszystko rozważy. Może ten człowiek potrafi poruszyć głową, a potem poruszy rękami.

Wiosną Rysiek palił ognisko. Podeszło do niego dwóch ludzi. Jeden to był Edek Partyjniak, a drugi Lipko Dorożkarz. Teraz było ich pięciu i tak w piątkę zostali.

Dranie – klął Edek i zabijał dziury w dachu. Dranie, klął Lipko, i klecił koryta. Traktor orał pole, Rysiek naprawiał maszyny. Świat obracał się w stronę dnia i w stronę nocy, ale to im się zacierało w nieprzytomnej harówce. Jedną historię człowiek czyta w książkach, a drugą nosi w kościach. No więc historia tej gospodarki weszła im w kości. A była prosta. Mały PGR rzucony w lasy za Ełkiem. Czterdzieści sześć hektarów. Pięć lat wyniszczany przez zapitych chamów. Wreszcie sitwę wzięli pod klucz. Ale nikt nowy nie chciał przyjść na Wydmę. Więc w powiecie pozbierano takich, którym było wszystko jedno. Którym w życiu nie szła karta. Którzy się jakoś spłukali.

I Lipko takim był. Ho, ho, redaktorze, ja się na bydle wyznaję. Ja patrzyłem koni w największej stajni dorożkarskiej u Wecla. W Warszawie przed pierwszą wojną. Sławnych ludzi ciągały nasze brytany. Aktoreczki jakie, redaktorze. Teraz to się Lipko może tylko pośmiać. Jeśli ma potrzebę, to taką, żeby rano osuszyć kielicha. Dla uratowania duszy, mówi. Bo Lipko od czasów wojny świniarzy i z tego, jak twierdzi, nachodzi cały zapachem. Ubranie nachodzi i ciało, ale to nic. Gorzej, że nachodzi również dusza, więc ten kielich jest konieczny, bo spełnia też i funkcję metafizyczną. Lipko kocha świnie. Wygląda to na humor. Ale niby dlaczego? Może to nie jest takie śmieszne, że człowiek, który przeszedł życie i spotkał parę tysięcy ludzi, oddaje w końcu swoje serce świniom.

Stary mówi na Edka – Edziu, a inni muszą mówić – kierowniku. Dorożkarz dumny jest z szefa. On zajdzie daleko – zachwyca się i robi wargami taki fiu-fiu, czym wskazuje na szczególnie wysoki szczebel w hierarchii. Edek złotym jest chłopakiem. Rocznik trzydziesty pierwszy. Uparty, przebojowy, trochę efekciarz. Lubi się wykazać. Tak nawet formułuje oceny: Tu moglibyśmy się wykazać, a tu nam się wykazać nie udało. Edek wziął czterech straceńców w garść, zasiał ziarno i czeka na plon. Dużo biega, zachodzi w pole, prowadzi kancelarię. Ech, iskra, iskra! – zdumiewa się Lipko. Edek jest pryncypialny. Sienkiewicza gromi za kapitalizm, Ryśka za oportunistyczny bezwład, a Trofima za religianctwo. Zostaw Trofima, tłumaczy Rysiek, on chory. I to prawda, bo Trofim ma epilepsję. Tuż po wojnie w jego izbie spał żołnierz. Nad ranem wpadł bandyta. Zmierzyli się z automatów, a między nimi, na linii luf, stał mały Trofim. O jedną lufę za dużo do wytrzymania, tłumaczy. Więc ma ataki. Jest ponury, pokorny, stanie na drodze, stoi godzinę, idzie, zawraca, potem siądzie i płacze. Jeśli mu dać papierosa – zapali, ale poleci do sklepu i odkupi paczkę. Nie chciałem wziąć. Weź, mówi, nie stawiaj oporu, bo się zaraz spienię. I wziąłem w obawie przed atakiem. Takich typów szukał Dostojewski. Czyś ty, Trofim, czytał Dostojewskiego? – spytałem go kiedyś. Nie czytał, bo od książek dostaje młyna w głowie. Trofim ma dwadzieścia sześć lat i kiedy przymierzam ten wiek do tej postaci, dostaję ucisku w skroniach.

Dalej chodzi na Wydmę.

Struna wiatru trąca piasek, piasek drży i śpiewa.

Przysłucha się tej muzyce, muzyka odejmuje ból.

Żyto wzbiera ciężkim kłosem, ziemniaki rosną bez stonki. Czas stał się przyjazny, Edek oblicza plony. I nagle ten wypadek z Mongołem. Trofim pojechał Mongołem do Ełku, odebrać koparkę. Koparka była w magazynie. Tam Trofima złapały drgawki, trzy godziny leżał bez czucia. A Mongoł to był koń akuratny i niezależny. Zawsze godził się czekać dwie godziny. Potem ruszał sam i biegł na Wydmę. I teraz to się zdarzyło. Wśród ciemności wieczoru, szosą przez las, szedł Mongoł w zaprzęgu. Na zakręcie wyskoczyła ciężarówka, Mongoła oślepiły reflektory. Można przyjąć, że zginął śmiercią podwójną, która zdarza się ludziom, ale jest niezwykła wśród zwierząt. Najpierw zabiło go światło. Został uderzony światłem, tak że nie mógł obronić życia. Ponieważ odpadła alternatywa życia, pozostała alternatywa śmierci. Porażony i bezwolny przyjął ją. A więc w wypadku Mongoła nie życie doszło do śmierci, ale śmierć poprzedziła śmierć.

Wina leżała po stronie Wydmy. Konia przyszło odkupić, a nie było za co. Wypadło to w okresie zbiorów, gospodarce groziły straty. Edek pomyślał, żeby pożyczyć u Sienkiewicza. Przycisnęli dziadka, ale dziadek odpowiedział: nie.

Więc zwołali sąd.

Sądzili Sienkiewicza nocą.

Leżał na łóżku obrócony twarzą do ściany, z głową nakrytą baranim kożuchem. Za stołem siedzieli: blady Trofim, Lipko Dorożkarz, Edek Partyjniak i Rysiek Rozdwojony, który robił zegar.

– Żywy stąd nie wyjdziesz – powiedział Lipko.

Trofim próbował to złagodzić.

– Człowiek jest słabością – odezwał się – jak choćby na ten przykład Judasz.

– On nie jest słaby – sprzeciwił się Edek – to kułacki twardziel.

Rysiek nie odezwał się: pochylony nasłuchiwał zegara. Zegar milczał, w trybach stanął czas.

– Czy to jest człowiek, towarzyszu? – zwrócił się do mnie Edek. Zrobiłem minę ni w pięć, ni w dziewięć, bo nigdy nie wiem, co na takie pytanie odpowiedzieć.

– Sienkiewicz – spytałem – matka karmiła was piersią?

– Mówią, że piersią – odpowiedział.

– A potem czym was karmiła? – spytałem znowu.

- Potem obierzyną.
- A z tego, co do was matka mówiła, pamiętacie coś?
Poruszył się, barani zaduch poszedł po izbie.
- Pamiętam.
- Co pamiętacie?
- Mówiłem: co mi dajecie obierzyny, ja nie warchlak, ja człowiek. A matka mówi: kiedy będziesz taki bogaty, jak pan Kozanecki, to będziesz człowiek.

Lampa drgała żółtym płomykiem, cienie chodziły po ścianach. Strumień czasu zaszemrał w zegarze Ryśka.

Pomyślałem, że ten brudny pępek w porciętach ściągniętych sznurkiem wiele wtedy zrozumiał.

On zrozumiał co najmniej dwie rzeczy: pierwszą, że jest różnica między człowiekiem a zwierzęciem.

Drugą, że tę różnicę stwarza bogactwo.

Można spytać - jakie bogactwo? Można dać przykład biedaka Cézanne'a, który był człowiekiem wielkim. Można dać przykład Balzaka, który tonął w długach. Można wskazać na Marksa. Ale Sienkiewicz nie doszedł do tych rozróżnień i może nie mógł dojść. Może na to nie pozwalały czworaki, a potem lata wysługi, a potem żebracza tułanina. Po wojnie wzięli go w opiekę. Wymyli i dali jeść. Dali łóżko i dach. Mógł sobie pomyśleć: załatwili mi sprawy elementarne. Może teraz, spróbuję.

Raz w życiu człowiek chce być człowiekiem. I czeka na to siedemdziesiąt lat. A potem liczy - mam 9365 złotych i 15 groszy. Czy ja już jestem człowiekiem? Zadaje ludziom to pytanie. I liczy, że mu ktoś odpowie.

- Zostawcie go - powiedziałem - ja wam tę forsę wykukam w powiecie.

Za tydzień Lipko przyprowadził nowego konia. Lipko mówił, że to już nie to, ale wypucował ogiera i koń połyskiwał krótką sierścią. Też miał się nazywać Mongoł.

Mongoł II chodził w kosiarce. Lipko krzyczał „odsie!" i „ksobie!" jak wozak z węglowej rampy. Żytni łan sięgał do Wydmy.

Na Wydmie siedział Trofim.

Wiatr trącał o piasek, piasek drżał i śpiewał.

Ale teraz śpiewało i zboże, i kosiarka. Świat pojaśniał jak w pierwszym dniu stworzenia. Mieli spóźnione żniwa, był sierpień. Lato roku sześćdziesiąt jeden. Niby żadnych wydarzeń. Jest pokój w Polsce. Jest pokój w Europie. Pięciu ludzi ocaliło skrawek ziemi. Widziałem, jak w Japonii chłopi bronili pola przed morzem. Jak w Afryce ratowali plantację przed dżunglą. Ziemia jest wielka, nikt jeszcze nie przeszedł od Sahary do Wydmy Trofima. Każdy wie, jak jest na świecie: wszystko może się zdarzyć. A oto co się zdarzyło na Wydmie: pięciu ludzi ocalając ziemię ocaliło siebie. Czego mogli chcieć przedtem? Żeby spróbować jeszcze raz. Żeby mieć szansę. I szansa była im dana. To jest dobre – mówi Rysiek – że tak nam to dali. I że to wyszło.

Partery

To przygoda jak kromka chleba: znajoma, smakowana codziennie, a jednak gdyby jej brakło... Idą w trójkę szosą, a ja przyklejam się na czwartego:

- Można z wami?

Najpierw trochę podejrzliwi, zaraz żartują:

- Czemu nie? Tylko się pan wkup.

Szosa biegnie z Bielawy do Nowej Rudy. Po drodze jest Wolibórz, powinna być gospoda, lepka powierzchnia stolika, kilka kieliszków wódki w butelce od lemoniady, bo dzisiaj dzień wypłaty, alkoholu się nie sprzedaje.

- Dobrze. Będzie.

Ta obietnica jest jak porozumienie. No, teraz to co innego. Teraz to jesteśmy wszyscy swoi. Oni są robotnikami, pracowali ostatnio w Bielawskich Zakładach Włókienniczych, teraz wędrują do Nowej Rudy, bo tam dają zajęcie w kopalni. Taka zmiana nie jest dla nich nowością. Przeciwnie - to raczej zasada, której są wierni. We trójkę spotkali się dwa lata temu, przy przeładunku w Szczecinie. Dobrali się tak, bo są z jednej rzeszowskiej ziemi, nawet z jednego brzozowskiego powiatu - więc to krajanie. Od tego czasu łazikują. Z ważniejszych miast byli w Poznaniu, Gorzowie, Koninie, Rybniku, Tarnobrzegu. Zatrudniali się jako budowlani, robotnicy ziemni, włókniarze, ślusarze. Teraz będą górnikami. Obracali się w tylu zawodach, ponieważ w istocie nie znają żadnego. Nie mają kwalifikacji. Nigdzie na dobre nie mieszkają. Nigdzie na dobre nie pracują. Nigdzie nie znajdują przystani.

Żyją tym, co jest. Teraz właśnie jest Wolibórz, ta gospoda, ten stolik i butelka. Rozpaciane śledzie na talerzu. Zapocone czoła i szamotanie: „Czekaj, Władek, czekaj, to nie tak, chrzanisz". Być może pierwszy raz zastanawiają się nad sensem swojej łazęgi. I to im idzie opornie. Bo dlaczego się człowiek tak pęta? Co go ciągnie? Co z tego ma?

W kącie stoją trzy zdarte walizki, prawie puste, ściągane sznurkami. Co w nich jest? Jakaś koszula, buty, gumowy płaszcz, wyskubany pędzel. Z pieniędzy wyzbyci są tak zupełnie, że muszą do Rudy iść pieszo. (Mieszkałem z nimi w hotelu w Bielawie. „Od dnia wypłaty – mówi portierka – zaczynają pić. Starcza im najwyżej na tydzień. Potem bidują. Po kilku takich cyklach zabierają, co jest pod ręką, i znikają").

Wielka migracja przemysłowa zanikła, ale dalej toczy się falą strumień, którego odpryskiem są ci trzej. Młodzi chłopcy, wypędzeni ze wsi przez ciasnotę, poszukiwacze lżejszego chleba. Administratorzy skarżą się na kłopot, jaki z nimi mają: odejdą nie wiadomo gdzie, pojawią się nie wiadomo kiedy. „Element niespokojny – powiadają – wrogi dyscyplinie".

– Jak majster uwziął się na mnie, to widzę – trzeba iść. Zgadałem się jeszcze z nimi i tyle nas widzieli.

Odtąd zaczynają się noce na dworcach, noce w pociągach, noce w stodołach. Hotele, baraki, pokoiki na poddaszach. Strzegą żelaznej reguły: trzymać się wielkich zakładów. Nowych budowli. Tam nikt cię nie zna, tam boją się nawet za wiele pytać. Człowiek znika w masie, rozpływa się w umorusanym tłumie. Nie wolno wrastać w tkankę żadnego kolektywu, dawać się oplątać siecią zależności, w której zaczyna się pokornieć i sądzić, że tak już musi pozostać. Wcale nie musi! Przecież ktoś mówił, że sto kilometrów dalej jest lepiej. Lepiej? To trzeba tam iść! Co się traci? Tego burkliwego szefa, kąt w hoteliku? Co można zyskać? Przecież wszystko. I już są w wagonie, już pędzą naprzód. Myślicie, że Konin nie może smakować przez dzień jak Colorado? Po kilku rozczarowaniach nie liczą już na rewelacje. Ale pozostaje nawyk, jakiś durzący nałóg, któremu człowiek poddaje się z bezwładną uległością.

Wyrwani z jednego środowiska, nie mogą wkorzenić się w żadne inne. Bo już od pierwszej chwili przyjmują ich podejrzliwie. Skoro, bracie, tak się obijasz po świecie, twoje sumienie nie może być czyste. Niech się wydarzy jakaś bójka czy kradzież – posądzenie pada od razu na nich. „Element niespokojny, wrogi dyscyplinie". To oni wszędzie są obcy, naruszają spokój miasteczka, stabilizację osiedli, harmonię pracy. Nie muszą liczyć się z opinią i dlatego opinia nie może ich znieść. Nie ma na nich sankcji, bo w gruncie rzeczy na niczym im nie zależy. Nie wnoszą żadnych wartości, a przecież zagrażają wartościom istniejącym.

Czy są szczerzy, kiedy swojej sytuacji udzielają aprobaty?

– My, panie, nie pchamy się do góry. My sobie tu dołem, parterem.

Więc to jest jedyne miejsce, które wybrali na stałe: margines. Zmieniają miasta i fabryki - nie zmieniają tego miejsca. To element trwałości zakotwiczony w płynnym i zwirowanym prądzie dni. Na tym ustroniu biwakują, bo tu nie jest tłoczno, tu rzadko przenika nawet prawo.

Jakże zadrwili sobie ze świata, z tego świata, który się urządza! Jakże zakpili sobie z ludzi zabiegających o dobra namacalne, cieszące się uznanym znaczeniem: Mikrusy, Belwedery II, pralki SHL! Jeżeli o zapobiegliwych powiedzieć, że idą przez życie, to ci owo życie obchodzą bokiem. Zaganiany świat nie ma na takich czasu. Niech nie uczestniczą w grze, chętnych jest dosyć! I świat zawiera z nimi pakt nieingerencji: zostawmy się w spokoju. Jest to zaprawdę postawa sprawiedliwa, najwyższej humanistycznej próby. Trzech kaganów chwali, że uznano ich wybór. Sądzą, że interwencja z zewnątrz mogłaby tylko skopać ich utarty szlak. Nic nie zbuduje! Może gdzieś ukrywają żądzę zdobycia tych dóbr. Ale nie była ona dość namiętna i bezwzględna, aby kierować ich decyzjami. Mogliby zaniechać koczowania, obrać jeden zawód. I wić mozolnie gniazdo. Ale w ich opinii wyraźnie nie było to rozwiązaniem.

- Co się spieszyć, panie.

Piękny kawałek szosy spina Wolibórz i Rudę. Trochę szumi w głowie, słońce dopełnia reszty. To kolorowe południe musiał wyczarować sam nieśmiertelny mistrz Vincent van Gogh. Światło jest tak intensywne, że za chwilę powietrze wybuchnie złotą eksplozją. Do rąk lepią się wyżarte potem rączki walizek.

Ludziom ciężko się porozumieć. Oto podejmą nowe zajęcie, będą uczestniczyć w życiu nowej gromady, ale - kiedy odejdą - czy potrafi ktoś o nich powiedzieć słowo? Ich twarze pozna w ciągu roku tysiąc ludzi, ich nazwiska będzie znało już kilku, ich myśli - nikt. W luźnych kontaktach liczą się reakcje, nie motywy. Odeszli, więc trzeba szukać nowych, przyszli, trzeba zatrudnić. Czy nawet jest potrzebne docieranie w głąb człowieka? Rozszyfrowywanie losów, których on sam nie umie wytłumaczyć? Czego ja właściwie chcę? Sam nie mam o nich nic więcej do powiedzenia. Co nas łączy? Dwa kilometry drogi? Gospoda?

Reporter jest nie tylko tubą, do której wkrzykuje się dziesiątek liczb, nazwisk i opinii. Także chciałby coś czasem powiedzieć. Ale co miałem mówić? Dwa światy, które się nigdzie nie stykają. Partery. Trzeba tam żyć, żeby się potem o nich wymądrzać.

Są tacy, którzy próbują dobudować piętra. Nawet nie dla siebie. Ale w jakiej relacji to przekazać? Dwa zakresy doświadczeń. Słowa są niepojęte, jeśli nie przeżyło się tego, co one opisują. Jeśli to nie przedostało się do krwi.

– Życie – mówią – życie, to parę konkretów:

łopata – wypłata

kino – wino.

Co poza tym? Czy wszystko inne to jest zapach rozpylony w powietrzu? Jest – bo się czuje, ale jak go uchwycić?

– Saluto – powiedział jeden na pożegnanie.

– Arrivederci – odkrzyknąłem, żeby nie być gorszym.

Bez adresu

Powiedział:

– Czemu nie? Po małym piwie – pogadać godziwie.

Był pan kiedyś głodny? No właśnie: mgła i ludzie w tej mgle. A człowiek sam jak z waty. Ręce, nogi i reszta. Niech pan pisze: ten chłopak nazywał się Walet Pik. Najmarniejszy walet. W tysiącu piki dają tylko 40 punktów. Karciane lumpy. Jak będę mówił o innych, to też tak: Walet Karo albo Kier, albo Trefl. Może wspomnę parę dam i kilku królów. Asów, niestety, nie będzie. Aha, jeszcze mamy Homera. Ciekawski gość, mówi: Jak będziesz miał tyle lat, co ja medali, to pogadamy. Swoje przeżył, to widać. Warto go słuchać, choć gorzko gada. Typ jak z Rififi.

Pan chce wiedzieć o waleciarzach, tak? Walet, waleciarz. To taki clochard studencki, jak wróbel od świętego Franciszka, nie orze, nie sieje, a pożywa. Karo to jest prawdziwy waleciarz. Wypadł na drugim roku, trzy oblane egzaminy – koniec pieśni. Jak studenta wywalą, traci Akademika. A gdzieś musi mieszkać, przecież nie jest z Warszawy, nie ma tu chaty. Chata daleko – Olesno albo Iława, po co tam będzie wracał? Z Warszawy spadać na łeb w taką dziurę? A tu, pan rozumie, kontakty, kariery, tu jest życie. No to waletuje. W Akademiku zawsze kumple przygarną, dadzą zjeść i jest w porządku. Tyle że człowiek nie ma adresu. Ale czy to ważne?

Homer zawsze mówi tak: Chłopcy, co z was za ludzie? Ja przecież widzę, co wy robicie. Ciebie widzę, Pik, i ciebie, Karo, i ciebie, Trefl. Tam, na tym murku koło Kopernika na Krakowskim Przedmieściu. Tu ulica, ruch, bieganina, każdy pędzi jak zdyszany pies, a wy tam sobie siedzicie od rana do nocy. Żeby który choć drgnął. Siedzą – to wszystko. Może mówią? Nie, gdzie tam! Może na coś czekają? Też nie. Głucho i martwo. Czasem któryś się odezwie: Daję dwójkę, kto dokłada? Leniwe szarpanie po kieszeniach, tam jest złotówka, tam pięćdziesiąt groszy. Składają i idą do budki. Biorą trzy butelki piwa. Rozlewają na sześciu. Piją, milczą, spluwają. I – cisza. Odstawiają kufle. Wracają na murek. Dalej cisza. Za godzinę któryś zagaja: Potrzebuję się odlać. To inny dorzuca: Zrób i za mnie, jestem twoim panem czy nie? – I cisza. Dzień mija, o zmierzchu przechodzi obok jakaś dziewczyna. Trefl się odezwie: Ale spluwa, nie? Pokiwają głowami, poruszą ręką w kieszeni. I – cisza. Czasem przed Harendę zajedzie autobus. Wtedy przyskakują, łapią turystom walizki, odnoszą. Dostaną te pięć, dziesięć złociaków. Będzie na piwo, można wytrzymać. Tak jest, przecież ja widzę, czym się żywicie – piwem! A Trefl mu w oczy: Jak ktoś za dużo gada, to zawsze powie coś niepotrzebnego.

Trefl to filozof, o, ten jest kuty. Tylko nie ma w nim siły. Mnie to się zdaje, że w nas wszystkich nie ma siły. Uszła czy jak? Trefl jest dobry w kartach. Autorytet. Pan wie, coś trzeba robić wieczorkiem, nocą. Książek się nie czyta, teatr kosztuje, na kino człowiek ma rzadko chęć. No to karty. Ile się da – poker, bridż. Trefl jest wielki szczęściarz. Zbiorą się w pokoju, w Akademiku, obraz nie z tej ziemi, kasyno gry. Pan to widzi: ciemno od dymu, szelest kart, tłum kibiców. Poker w biegu. Do świtu, do rana. Czasem leci na forsę, ale forsy nie ma dużo. To się gra na kartki do stołówki, na obiady. Albo na ciuchy. W takim jednym pokoju było tych ciuchów od metra. Facet przegrywał marynarkę, zostawiał, kłaniał się i wychodził. Są tacy fanatycy, że grają od razu na stypendia. A potem cały miesiąc głodówka. No, gra to gra, hazard, nie ma żartów. Karty to emocja, człowiek się nie wysila, a przeżycie jest. Dnia się nie zmarnowało. Przyjemna rzecz. Franek bank trzyma. Franek bank daje, gramy, a lecą lipce i maje – w gorący piasek. Jest taki wiersz, dalej nie pamiętam.

Jak Trefl wygra, mamy u niego winko. Słodkie życie. Dolce vita. O, wtedy się smakuje metodycznie. Najpierw godnie idziemy do Harendy. Dwie stówki w kieszeni: milionerzy! Tam mała konwersacja przy stoliku, drobne zamówienie i suniemy „pod Chrystuska". U Chrystuska zawsze tłok, pan tam był? Obciągamy porterek i do Kościółka. Tu się zaczyna już winko. Dwa kieliszki, rozmówka, ukłony dla sąsiednich stolików, bractwo się przecież zna. Kurtuazja obowiązkowa, gwardia Trefla zachowuje się grzecznie.

Jeśli stawia Kier, jesteśmy gwardią Kiera. I tak na zmianę. Tylko Pik nigdy nie stawia. Pik to nędza. Nie miał swojej gwardii ani razu. Z Kościółka mamy etap do Fukiera. Albo Café Kicha. Albo Dziekanka. Wszędzie ten kwaskowy zapaszek fermentu, dym, gwar – rozkosz. Czasem chodzi się do Babci, na Oboźnej. Och, to dziwny apartament. Stara chałupka, sklepik, parę cukierków w gablotach. A na ścianach obrazy abstrakcyjne. Dzieła talentu. Studenci z Akademii oddają je za piwo. Babcia zresztą i kredytuje. Na paczkach siedzą wozacy i piją z młodymi plastyczkami. W kącie stoi bat, studentka naprzeciw furmana. Wozacy mają forsę - pan wie. Raz zaszliśmy, siedzi plastyczka, płacze. Śliczna. To jasne, jak człowiek jest piękny, musi być nieszczęśliwy.

Nieraz jeszcze zostanie grosza, bo ktoś otrzyma z domu albo za jakąś chałturę. Od nas niektórzy drukują w różnych miejscach, to z tego jest parę złotych. Wtedy kupujemy wino i jedziemy do Akademika. Wiadomo, co dalej. Ktoś powie jeden kawał, potem drugi. Jak się zna plotki ze świata literackiego, to się jest w cenie. Takie zwykłe, pan wie, kto z kim i tak dalej. Gadka jest sztampowa: No to nalejmy! No to Jan Sebastian BACH! I do szkła! Zawsze wieczór jakoś zleci. Dziewczyny, jak chcą dobrze wypić, ciągną same. Zamkną się i tego, co już tam robią, my nie wiemy.

Homer to wypuszcza taką uwagę: Z wami, mówi, jedyne możliwe pogadanie tylko wtedy, jak coś wypijecie. W was nie ma żadnego życia, żadnej chęci, żadnego ognia. Nuda oblepia was jak mokry kokon. Coś ty przeżył, Kier, siuśku jeden? Co ty wiesz o świecie? Jak z tobą gadam, ciągle mi się zdaje, że śpisz. Ockniesz się na to małe winko, otworzysz oczęta, nabierasz trochę bigla, jakaś myśl zaczyna ci w głowie kołatać, już, już, a poruszy się serce, a potem patrzę ze strachem, a ty znowu zasypiasz. Chodzisz, mówisz, robisz miny, pośmiejesz się, ale wszystko to na śpiąco. Kimasz, letarg na żywo. To jest cholerne uczucie, człowieku, tak cię trzymać jak śliską rybę. Bo ty jesteś i ciebie nie ma. Tak sobie myślę, w jakie miejsce cię trafić, żeby z ciebie wybuchło coś wielkiego, coś pięknego. Mnie się zawsze zdawało, że w każdym młodym to jest. A teraz się waham. Jak Homer rozwinie takie gadanie, Trefl musi go znowu gasić.

Z Treflem jednak trzymam się najbliżej. Umysł wszechstronny. Zawsze go pan zobaczysz z książką i ciągle z inną: *Jak obsługiwać WFM*, *Będę matką*, *Wprowadzenie do Biblii Świętej*, *Sto potraw dla zakochanych*. Nie czyta, ale nosi. Teraz ważny jest ten pozór. Trefl ma pozór dobry. Wysiadł z dziennikarki, ale iskra mu została. Pan jest też dziennikarz, prawda? Bratnie dusze. Trefl pisuje różne kawałki, jak nie gra w pokera. Latem pracował na plaży w dziedzinie kultury: nastawiał płyty w radiowęźle. Każdy stara się coś robić. Karo zatrudnił się u zakonnic. Na Powiślu zakonnice mają ochronkę dla niewidomych dzieci. Karo tam rąbie drzewo, naprawia światło, reperuje meble. Jakoś wychodzi na swoim. Kier był portierem. Ja znowu łapię robótki w Plastusiu. Różnie bywa: myję podłogi, noszę węgiel, trzepię dywany. Ma pan coś dla mnie? Pik wszystko weźmie. Bo Trefl to arystokrata. Zresztą w ogóle waleciarze to arystokracja. Elita. Egzotyczny akcent środowiska. My na górze, a w dole - tłum kujonów. Zresztą, czy oni się tak zakuwają? Student, który się uczy, to nieporozumienie, tragiczna pomyłka. Polibuda sobie trochę wbija, ale polibuda to chamy, awans wsi, żaden humanista z głową nie będzie się wkuwał. Bo niby czego? Makulatury? Zazdroszczą nam! Oni drżą przed profesorami, gonią na wykład, skrobią referat – a nam to wisi.

Owszem, trzeba coś tworzyć. Prawdziwy waleciarz powinien tworzyć. Poezje, dramat, prozę, w ogóle literaturę. Sława i chleb. Karo daje przykład. Napisze opowiadanie, idzie z nim do któregoś pokoju w Akademiku, jeśli jest późna noc i śpią, to ich obudzi. Mówi: Przeczytam wam nową prozę, jak mi dacie co zjeść. No i czyta, i zawsze chleba dostanie. Czasem nawet ze smalcem. Inni też tak robią. Poeci mają najlepiej. Są popularni, słuchają ich wierszy. A Homer zgrywa: Jaka tam literatura, co wy macie do powiedzenia? Jaką wy chcecie wykrzyczeć prawdę? Karo, byłem młodszy od ciebie, kiedy dwaj upowcy przywiązali mnie do drzewa, usiedli obok, zapalili papierosa, wyciągnęli pilnik i zaczęli ostrzyć piłę. Mówili, że to z humanitaryzmu, żeby mnie ładnie przeciąć. Nie umiem tego opisać, ale miałbym co, zgodzisz się? Widziałeś śmierć? Wiesz, co to miłość? Zdychałeś z pragnienia? Żżerała cię ambicja? Dławiła cię zazdrość? Płakałeś ze szczęścia? Gryzłeś z bólu paluchy? Co mi odpowiesz? Ja przecież wiem, Karo, jak wy żyjecie. W puchu. Śmiej się, a ja ci mówię, że w puchu. Wcale ci tego nie żałuję, ale i nie zazdroszczę. Kiedyś szukałem ciebie w Akademiku. A było południe. Wchodzę do jednego pokoju – śpią. Do drugiego – śpią. Jeszcze dalej – śpią. Co jest? Chcecie pisać książki? Robić filmy? A powiesz mi, o czym?

Ale on się zapędza. Bo u nas to nie tyle chcą robić filmy, co statystować. Dawniej podobno tak – każdy chciał tworzyć wielkie rzeczy, wynajdywać cuda, reżyserować, rządzić. A teraz wolą statystować. Wystarczy.

Wystarczy kłopotów, które są. Problemy mamy trudne. Bierzmy po kolei – jak dostać się do Akademika? Prawa pobytu nie ma, bo się przestało być studentem. To trzeba na lewo. Różnie. Kier z Treflem robią tak: wchodzą, jeden zagaduje portierkę, a drugi gna na górę. Ona za nim leci, wtedy ten pierwszy pryska drugimi schodami. I już obaj weszli. Teraz trzeba znaleźć pokój. Chodzimy po znajomych. Nas tam lubią, każdy pomoże. Albo jest wolne łóżko, albo na podłogę kładzie się materac. Kumple podzielą się kocami. Rajskie spanie. Czasem władza robi naskok, przychodzą nocą na kontrol. Chłopcy chowają nas w szafy, przykrywają płaszczami. No, jak jest wpadka, to koniec, eksmitują na bruk. Ale jest i tak, że do kontroli wkręca się waleciarz i wtedy kryje pozostałych. Bo my się dobrze znamy.

Najgorzej się wyżywić. Rano trzeba urwać śniadanie ze stołówki w Akademiku. Koledzy dadzą połowę swojego, chleba starczy. Na fajki zawsze ktoś pożyczy. A obiad to zupa. Na zupę nie trzeba kwitka. Można dwa talerze, jak się uda, można trzy. Chleb jest na stołach. Jakoś się kichy zapcha. A nie – to piwko. Piwem też się żyje.

To jeszcze jedno małe może być, tak? Po co mnie pan wciąga na te gadki? Ja tak nigdy nie mówię ani nie myślę. Jakbym tak myślał jak Homer, toby ze mnie był stary grzyb. A ja młody jestem, nie? No niech pan powie, bo sam człowiek nie wie tego na zicher.

Wielki rzut

On jest zawsze pierwszy. Ten w szarym swetrze jest pierwszy i dlatego musi czekać. Siada pod drzewem, kładzie na kolanach znudzoną twarz, leniwie żuje źdźbło trawy. Boisko jest puste: nieruchomy prostokąt murawy w owalnej ramie bieżni. Więc kibic w swetrze czeka.

Nie ożywia się nawet, kiedy przychodzi Piątkowski. Kibic śledzi teraz obrządek treningu. Widzi, jak sylwetka zawodnika spręża się na moment przed rzutem i jak dysk uwolniony z dłoni leci płaskim, śmigłym lotem, aby opaść na ziemię i przywarować w trawie. Zamach ręki, lot i upadek dysku będą się powtarzać przez godzinę, niezmiennie, monotonnie. Ten w swetrze siedzi nieruchomy, ma skrzywioną minę, ale jego oczy patrzą uważnie.

– Można by iść: ciągle to samo – mówię do niego.

– Nie, nie. Czekajmy. Zaraz będzie miał wielki rzut.

Więc zostaję, obaj zostajemy i jeszcze inni, którzy tymczasem przyszli, też zostają, aby zobaczyć ten rzut, który będzie wielki, rzut na sześćdziesiąt metrów. Czekamy na niego, ponieważ zawsze czekamy na coś, co by było wielkie, niezwykłe i wspaniałe, co by sprawiło nam ogromną radość i napełniło nas dumą, a także utrwaliło pewność, że istnieje coś więcej niż zamykanie i otwieranie biurek o tej samej godzinie, podkoszone cizie, schlebianie szefom, drobne kanty, uściski bez miłości, przestoje z powodu złej kooperacji, piosenki Rinaldo Balińskiego, wóda rozlana na stoliku.

Ale na boisku dzieją się zwykłe rzeczy, mozolna harówka zawodnika, zaprawa w tonacji szarej, codzienność, która nas złości i dręczy, a jednak nie umiemy się jej przeciwstawić. Kibic w swetrze zaczyna się niecierpliwić, dysk lata krótkim łukiem, za krótkim; kiedy nastąpi wielki rzut, te sześćdziesiąt metrów?

Patrzymy na Piątkowskiego. On jest spokojny, to wspaniale rozrosłe chłopisko rzuca jakby od niechcenia, a potem powolnym krokiem, niby to spacer, idzie po dysk, odnajduje go i znowu rzuca, bez wysiłku, bez tego napięcia, które wydaje nam się konieczne, aby mógł wytrysnąć wielki rzut. Ktoś na boku mówi, że on teraz ma szlif, nie rzuca na długość, chodzi o technikę. Jak się zrobiło rekord świata, trzeba o to dbać. Ale ten w swetrze czeka, na pewno się doczeka, jeden taki rzut, co to jest dla Piątkowskiego?

Nie, nic z tego. Dysk już nie fruwa, leży na bieżni, mistrz ubiera się i ociężale, trochę przygarbiony, odchodzi, obrządek zakończony. Zostaje tylko trener, siedział dotąd, nikt go nie zauważył. Teraz przy nim skupiają się obecni. Idziemy tam. Słyszymy, jak trener mówi, że te dwa ostatnie rzuty to były właśnie na sześćdziesiąt metrów. A więc były! A myśmy przegapili! Kibic w swetrze jest rozgoryczony, podejrzewa blagę, co, tu także kant? Nie, te dwa ostatnie rzuty były murowane, rekord świata pobity na pewno, szkoda, że na treningu, więc nieoficjalnie. Kibic jest pocieszony, ale tylko trochę, bo widział przecież, a jednak nie widział, może mówić, że tak, ale sam wie, że nie. Idzie w stronę bramy, chyba z uczuciem niedosytu, jakby skwaszony, milczący i sam.

Żal mi tego w swetrze. Nie znam go, ale spotkaliśmy się kilka razy na tym boisku. Zamieniliśmy parę zdań. Wiem, co go tu sprowadza. Nie przychodzi zachwycać się Piątkowskim. Jeśli chce coś zobaczyć, to siebie, tego, którym się nie stał. Jakim nigdy nie będzie. Bo kibic jest z tych, którzy w pewnym momencie zgubili szansę. Nie to, żeby się kiedyś za coś wziął i to mu nie wyszło, ale że nigdy niczego się nie uchwycił. To jest najgorsze, bo zostawia pretensję na zawsze. I nie można się od niej uwolnić. Człowiek miewa w życiu wiele okazji, ale szansa pojawia się tylko raz. Można ją mieć i zmarnować. Sęk jednak w tym, że można jej także nie dostrzec. To jest ten wielki rzut: był, a myśmy go nie widzieli.

Kibic dosyć mgliście mówi o swoim zajęciu. Może to inkasent albo referent czy buchalter? A może nie robi nic? Chyba jednak wykonuje jedną z tysiąca tych bezbarwnych prac, z których nie da się wykrzesać iskry satysfakcji. Już pogodzony z tą anonimową egzystencją szuka jednak w przypływie goryczy momentu, w którym popełnił błąd. Czy tu chodzi o błąd, czy o to, że nie było nawet błędu, ponieważ nie zdarzyło się nic? Nie zdarzyło się? Dlaczego? W którym dniu powinno nastąpić to, co w jego życiu nie nastąpiło?

Bo właśnie ten Piątkowski miał taki dzień. Mieszkał w Konstantynowie pod Łodzią. Małe miasteczko, nic się nie da o nim powiedzieć. Tam chodził do szkoły. Miał 15 lat i był szczupłym, drobnym chłopcem. Kolega dał mu dysk. Zaczął tym dyskiem rzucać. Robi to do dzisiejszego dnia, przez osiem okrągłych lat. W tym czasie zdał maturę, służył w wojsku, a teraz jest studentem SGPiS. Ale to są dane z tysiąca życiorysów: szkoła, praca. A tu przecież chodzi o życie kształtowane zachłanną pasją, nieustępliwie trwającą, zupełną.

To mnie zastanawiało, czy nie ciągnęły go inne pokusy, czy nie podlegał innym namiętnościom, czy nie chciał się przerzucać, czy w końcu nie nudził go ten kawałek metalu i drzewa, uformowany w płaski krąg. Ale nie! Piętnastoletni chłopak, tam, w Konstantynowie, powiedział sobie: „To jest właśnie to, co mam robić. To, co będę odtąd zawsze robił". I został przy swoim. „Nie lubię rozmieniać się na drobne – mówi mi Piątkowski. – To nie ma sensu. Myślę, że z tysiąca możliwości trzeba zawsze wybrać jedną, trwać przy niej i uczynić wszystko, dać z siebie wszystko, aby osiągnąć wynik. Bo inaczej człowiek ma potem do siebie pretensję, że nie zrobił tego, co chciał".

Sukcesy, które przychodzą rok po roku, wprawiają go w zakłopotanie, w kręgu aplauzów porusza się niezręcznie, poklask go niecierpliwi, nawet jest wobec niego podejrzliwy: „Zawsze ten podziw, kiedy człowiek wspina się w górę. Kiedy zacznie się spadek, brawa milkną i wszystkie oczy się odwracają. Robi się pusto".

Ale jest zbyt pochłonięty swoją pasją, aby zgłębiać prawidła reakcji ludzkich. „Dobrze układały mi się te lata. Z każdym rokiem robiłem postępy. Co jest bodźcem? Może nie tylko myśl o rekordzie, ale i ciekawość: ile się jeszcze da zrobić? Co można z siebie wydobyć? Gdzie leży ta ostateczna granica, do której można dojść? Iść jest coraz trudniej. Ale to pasjonujące – pokonywać samego siebie. Ten, który może być, zwycięża tego, który jest. Taka walka".

Nie prowadzi statystyk, ba, nie pamięta dokładnie dnia, w którym ustanowił rekord świata. „Nie znam nawet wszystkich swoich wyników. To, co było, co zrobiłem, już mnie nie interesuje. Chodzi mi o to, co jest teraz, i jeszcze bardziej o to, co będzie. Co można więcej zrobić. Ten wynik, którego jeszcze nie ma, który dopiero można wykrzesać – to jest ważne".

Człowiek w zapasach z materią, w pojedynku z sobą samym: czy jest jeszcze czas i miejsce na coś więcej? Lata samotnego treningu, starty i upór wyrobiły w nim instynkt walki. Zwykle jest powolny, nawet nieco ospały w ruchach, mówi wolno, nie zapala się. Nie uznaje kawiarń, zabaw, milczy na zebraniach: peszy go większe towarzystwo. Ale niech wyjdzie na stadion, niech pojawi się na dnie tej huczącej, rozpalonej misy! Ożywia się, nabiera zapału. Przeciwnicy nie budzą w nim tremy, nie peszą go ich wyniki. Bo jego to nie obchodzi, ponieważ on tu przyszedł robić swój wynik. Jest więc skupiony, myśli tylko o tym, co ma tu zrobić, i śledzi niewidoczną jeszcze granicę, do której można dosięgnąć. „Mówią, że jestem taki spokojny, ale na drugi dzień po zawodach nic mi się nie udaje, chodzę rozbity, nie mogę znaleźć sobie miejsca".

Kariera nie zaślepia go: „Trzeba się pogodzić z tym, że człowiek zacznie rzucać coraz gorzej". Nie wpada w panikę. Będzie znowu stawał w kręgu, wypuszczał z piekielnym zamachem dysk, nadając mu płaski, śmigły lot, sam świadom kresu, poza który nie da się go już przerzucić.

Ale znowu myślę o tym kibicu w swetrze. O nim, o jego rówieśnikach, których spotykam wszędzie. Kiedy stoją na rogach ulic i wodzą zgasłym okiem za draką, aż zeźleni brakiem chętnych sami ją urządzają. Kiedy siedzą przy szklance wystygłej lury, aby ciągnąć z niesmakiem jałowy dialog.

– Nie ma co robić.

– Nie ma. Chodźcie, będziemy rzucać mięsem.

Ale z tego rzucania nic nie wynika. Z tego rzucania nie wybłyśnie wielki rzut. Kupią sobie gazetę. Czytają relacje o startach Piątkowskiego: „Cholera, ten ma szczęście!" Kiwają głowami, wpatrują się w sufit. „Nie rozumieją, nie wiedzą – mówi Piątkowski – ile trzeba było pracy, ile mordęgi. Nie mogło być miejsca na nic więcej". A on też ma 23 lata. Kiedy byłem ostatnio u niego, kuł matematykę.

Jest taki wiek, kiedy człowiek koniecznie chce czymś być. Kiedy to jest ważniejsze nad wszystko inne. Wtedy szczególnie uparcie szuka przykładu. Ale kto jest przykładem? Piątkowski czy Tommy Steel? Może wystarczy trochę zakombinować, gdzieś się wcisnąć i będzie „okey"? Po co tyrać? Jakaś piosenka, może twarz, może umiejętnie wymierzone ukłony – to nie wystarczy? Ten wielki rzut – czy go się nie przegapi? Widziałem w Szczecinie na ulicy filmowców. Kamery, lustra: kręcili jakąś scenę. Wokół nieprzebrany tłum dziewcząt, chłopaków. To niecierpliwe oczekiwanie: a nuż mnie zauważą i wezmą. Każdy by chciał! Ale nie biorą, jakoś nie biorą, kręcą dalej, a tu szaruga, mokre ławki i nie ma komu dać w mordę.

I co – znowu przegapiliśmy wielki rzut?

– Tak się niczego nie zrobi – śmieje się Piątkowski, kiedy mu to opowiadam.

Słoneczny brzeg jeziora

Dziewczyna wypisała kredą na spodniach „Autostop". Kiedy szła, litery marszczyły się albo nabierały wypukłości. Teraz, jadąc szosą, dostrzegła płaski brzeg jeziora, kępy leszczyn i wystające nad nimi kanciaste grzbiety namiotów. Trąciła szofera, który zatrzymał wóz.

– Buźka – powiedziała i poszła.

Była w Małdytach. Przed wejściem do obozu Czarna Skóra oznajmił:

– Nie ma druha.

Miało to być ważne stwierdzenie, tak doniosłe jak nagła wieść, że ziemia zatrzymała swój nieznużony bieg, że nie ma nigdzie niczego lub że wszystko, co jest, nie liczy się pozbawione sensu i znaczenia, dopóki nie wróci druh. Czarna Skóra powiedziawszy to, rozciągnął się w słońcu na kocu i czytał broszurkę „O czym powinien wiedzieć każdy chłopiec", co dziewczynie nasunęło myśl, iż chłopak nie jest żadnym praktykiem w tych sprawach, ponieważ wszyscy wielcy praktycy w wieku szczeniackim gardzą podobną lekturą, wiedząc, że nikt nie może lepiej od nich znać się na rzeczy.

Wyjęła z plecaka ręcznik i poszła się myć. Brzeg jeziora, grząski i mulisty, obrastało sitowie, nerwowo przemykały perkozy, a koło wyspy płynęła para łabędzi, marmurowa i piękna.

Kiedy przyszedł druh, było już późne popołudnie, nieruchome i udręczone upałem jak cały odchodzący dzień. Spytała, czy może znaleźć tu nocleg, i otrzymała twierdzącą odpowiedź, odpowiedź daną na wyrost, gdyż pod namiotami nie stało ani jedno łóżko, a jedyne posłanie stanowiła zwiędła, duszno pachnąca trawa.

– Tu miał być camping – rzekła. – W Olsztynie powiedziano mi, że w Małdytach harcerze mają obóz i prowadzą camping.

– Powiedziano za wiele i za wcześnie – wyjaśnił druh.

Nazywał się Ryszard Milejski i był felczerem w miejscowym Ośrodku Zdrowia. Przyjechał tu jesienią 1957 roku po trzech latach medycyny, którą musiał przerwać. Mógłby poprzestać na leczeniu, ale nie potrafił. To są te istoty, w których tkwi ponadplanowa i nieuleczalna potrzeba działania społecznego nieobjęta żadną umową o pracę, żadną narzuconą powinnością. Zamiast podkarmiać króliki, tropić szczupaka czy łupić w karcięta, zastanawiają się oni, co począć z tabunem psotnie i groźnie rozhasanych młodzieniaszków węszących niestrudzenie okazji do draki.

Siedząc nad jeziorem, opowiadał dziewczynie o styczniowym wieczorze ostatniej zimy, kiedy nuda czy głód powiodły go do gospody. Widział tam, jak sześciu wyrostków dokańczało litra.

– Dacie i mnie? – zapytał i przysiadł do stolika. Wypili kolejkę i tamci zaczęli się składać na nową butelkę, żeby pan doktor poznał szeroki gest.

– Nie – powiedział – to wystarczy.

Zaczęli rozmowę. – Dobrze tak pić? – pytał. Niemądre to pytanie. Człowiek nie pije dla przyjemności, tylko dlatego, że musi. – Dajcie spokój – niecierpliwił się – wy musicie! Możecie robić inne rzeczy! – Znowu niemądrze to powiedziane. Jakie inne rzeczy w tych Małdytach?

Racja była po ich stronie, trzeba przyznać. Małdyty są osadą robotniczą niedaleko Morąga. Małe domki, małe fabryczki. Nie ma kina, cyrk nie przyjeżdża, książki są za grube, żeby je czytać.

Zaprosił ich do mieszkania. Kiedy doktor zaprasza – wypada przyjść. Zjawiło się dziesięciu. Tym sposobem w lutym powstała drużyna harcerska. Po tygodniu było już dwudziestu trzech ochotników. Zgłosiło się siedem dziewcząt. Potem przyszli następni. No dobrze, więc są. Co dalej? „Trzeba było zrobić coś konkretnego. Zebrać jakiś grosz". Rada w radę postanowiono pracować przy rozładunku wagonów. Niewiele dało się z tego uciułać. Lepszy zysk przyniosła zabawa. Ale ciągle było mało pieniędzy. Z końcem kwietnia zaczęli myśleć o stworzeniu ośrodka wodnego, wreszcie campingu.

– Prawda, że warunki są idealne? – mówił – szlak wodny z Ostródy do Elbląga, jezioro, las, mała plaża.

– Reszta była czystą improwizacją. Z rozebranej gdzieś starej szopy zrobili przystań kajakową. Z pustaków własnoręcznie formowanych zbudowali kawiarnię. Zwrócili się o pomoc do okolicznych zakładów pracy: dostali sześćset złotych. Niektóre fabryki przyrzekły dalszą pomoc – transport, łóżka. Komenda chorągwi dała namioty. Piękne to, ale pozostawało ciągle najważniejsze: zrobić rzecz do końca. – Zaczęły się konflikty – powiedział.

Dziewczyna patrzyła na obóz. Teraz było tam gwarno. Kilku maluchów młóciło w piłkę, dwóch chłopców robiło płot, inni okorowywali maszt. Drogą prowadzącą z osady przychodzili nowi. Nieśli z sobą swetry, nawet kożuchy, a także zawiniątka z jedzeniem. Składali to pod namioty i zabierali się do pracy albo przysiadali na trawie, żeby rozmawiać lub żeby milczeć. Rosły dryblas i dwójka szkrabów płynęli krypą na wyspę. Za chwilę słychać było stamtąd stukanie siekier i hałas zwalanego drzewa. Wracali do obozu z pniem uwiązanym liną do łodzi.

Istnieją tu dwie drużyny - mówił Milejski - młodszych i starszych. Z dzieciarnią sprawa jest prosta. Mają pyszną zabawę, a cały kłopot to zmusić ich do mycia nóg i posłania pryczy. Są wakacje, więc dniem i nocą to stadko waruje w obozie, pojawiając się w domu tylko po to, żeby zjeść i zamienić zdarte porcięta na całe. A teraz - starsi. Dawniej bawili się tak, że podkładali petardy pod pociąg. Waliło, błyskało i pociąg stawał. Od wagonów niósł się krzyk strachu, a ukryta w krzakach zgraja chichotała z uciechy. Albo wpadali do ogrodu i zrywali wszystkie jabłka, po czym niewziąwszy ani niezjadłszy żadnego, układali je równo pod jabłonią. I odchodzili. Niechby spróbował kto im przeszkodzić. Niech by się taki znalazł! Niejeden z „podopiecznych" Milejskiego stawał przed kolegium orzekającym, odbierał wyrok, był usuwany ze szkoły. Gospoda, bójka na zabawie, zaczepki. To się już skończyło. Ale nie jest łatwo wdrożyć taki zastęp do dyscypliny. Zdecydowali, że zrobią z tych Małdyt znany zakątek turystyczny. Ale wypadało robić to „coś" - z niczego. W pustce, przy niechętnym stanowisku opinii sądzącej, że powstanie z tego baza łobuzerii.

Starsi w szczepie Milejskiego są robotnikami. Pracują w tutejszej fabryce sklejek albo w lesie czy gdzie indziej. Po ośmiu godzinach zmiany przychodzą do obozu i tu on każe im też pracować. Milejski pojmuje sytuację: osiemnastoletni chłopak ma robić 16 godzin na dobę, kiedy jest lato, jezioro i las i chęć zabawy, psoty, rozrywki. Stąd opory: jak to, więc tylko robić i robić? Niektórzy zaczynają omijać obóz. Reszta zwołuje zebranie, sprowadza opornych. Uchwała: „Drużyna postanowiła usunąć każdego po opuszczeniu jednego dnia pracy bez usprawiedliwienia". Podpis: Hilary Bauman - drużynowy. Efekt jest momentalny. W fabryce zmiana kończy się o szóstej rano. W kilka minut później do obozu przychodzą chłopcy po całonocnej pracy. Ściągają szybko koszule i spodnie, rzucają się do wody. Przepływają jezioro i wracają. Orzeźwili się, mogą teraz zaczynać robotę. Bez śniadania, niezmrużywszy oka nawet na godzinę, budują przystań.

Dziewczyna zastanawia się: co w tym jest? Chłopcom wystarczyłoby mrugnąć na siebie i odejść. Przestałby istnieć kłopot: po pracy siadaliby na kajaki, jechali na ryby. Szliby z dziewczętami na spacer, leżeli na łące. W ciągu minuty można by bez wysiłku obalić całą konstrukcję wzniesioną przez Milejskiego. Tylko odejść – to wszystko. A jednak nie. Jednak pozostają, oddają swój czas, poświęcają swoje zabawy. Droczą się między sobą, kto więcej zrobił. Smagają leniuchów, wytykają opieszalców. Snują plany, rozpalają się do nich. Literalnie nic z tego nie mają. Powoli buduje się camping. Bardzo powoli. Ale może dlatego, że chodzi tu nie tylko o namioty. Nawet nie przede wszystkim.

– Jak to jest – zastanawia się dziewczyna jeszcze następnego dnia, kiedy wygląda na szosie samochodu – jak to jest, że człowiek dobrowolnie godzi się na wysiłek, który na pozór nie daje nic poza zmęczeniem, a odrzuca pokusy łatwe i ponętne? Wielce ciekawe są te Małdyty. Nawet jeśli nic więcej nie będzie tam zrobione.

Lamus

Szlak był jałowy. Krecha asfaltu coraz cieńsza, nad nią powietrze w upalnej drgawce. Żadnego wozu. Spytałem chłopaka, czy on też do Grajewa. Tak, on też. To poczekamy razem. Może być razem – powiedział. Powiedział dalej, że pruje na Łaźmy, tam czeka jego wiara. Są z Augustowa. Tydzień temu zakończyli szkołę. Jak mu poszło? Lufa z historii – wyznał. Profesor zawziął się, co tam mówić, profesor jest nieżyciowy, jest wyraźnie planowy. Z takim lamusem nie sposób się dogadać. Jak on się nazywa? – spytałem z reporterskiej nawyczki.

– Jak? Stępik. Grzegorz Stępik.

Zwykły traf. Przypadek.

Znałem Stępika – w roku 1955 kończył historię na warszawskim uniwerku. Więc on jest teraz w Augustowie? – spytałem. Do miasteczka było nie więcej niż kilometr.

Odnalazłem w rynku skarlałą kamieniczkę, zagracony pokoik na piętrze. Odnalazłem tam Stępika. Ten sam oczywiście. Siedliśmy za stołem, wyjął zapałki, przypalał jedną od drugiej. Dawniej też miał ten nawyk: w czasie rozmowy palił zapałki. Trzyma drewienko w palcach, patrzy się w płomień. Zapałka gaśnie – wyjmuje następną. W nerwowe dnie wypala cały kamień. Jeśli wybuchnie jakiś pożar w okolicy, chyba Stępika zamkną. Mówię mu to, a on się śmieje. Oczy ma popielate, jakby zgorzałe w ogniu. Na innych patrzy zawsze poprzez płomień zapałki. Czy to pozwala lepiej widzieć człowieka?

Na oko mało się zmienił. Długa szczapa, w której wszystko już konsekwentnie jest długie: nogi, ręce, nos. Niezręczny, nieustawny jakiś, czym zawsze wprawiał obecnych w zakłopotanie.

Ma 27 lat.

Lamus.

Stary Lamus.

Jakim to nosem zwąchali w nim zleżałego rupiecia? Pytam go o to. Chmurzy się, niecierpliwi. Po co mamy gadać? – ucina dialog.

Dlaczego nie gadać?

No dobra, niech będzie. Ja może uchwycę sedno skryte pod powierzchnią. Powierzchnia jest w porządku: Stępik uczy w szkole, zajęć ma po uszy, bo lekcje, konspekty, lektury, uczy jak umie, stara się jak może, nie nawala, czynniki go wyróżniają. Ma sublokatorski kąt, ciuła na motor, latem jeździ do archeologów na wykopaliska. Z tych drobiazgów czerpie swoją życiową satysfakcję, rad jest z nich. Natomiast nie ma za grosz satysfakcji pedagogicznej, nie może się poszczycić sukcesem wychowawczym. Przeciwnie! Stępik tkwi permanentnie pod pedagogicznym Waterloo.

Zapewnia, że nie on sam tak ugrząził, że całe ciało nauczające utknęło w fatalnym punkcie. To można pojąć: ciało jest posunięte w latach, trudniej mu się zestroić z młodziakami. Ciało jednak występuje kontra młodziakom jako zblokowana siła, co daje mu lepszą pozycję. Atrybuty ciała - siwy włos, doświadczenie, własne dzieci na uczelniach - są zarazem jego bronią. Te walory budują jakiś autorytet. Zawsze starszego w końcu usłuchają.

Ale Stępik tylko formalnie należy do ciała. Ma swoje krzesło w pokoju nauczycielskim, swoje dyżury na korytarzu, wpisuje uwagi do dziennika. Ciało traktuje go pobłażliwie: młodszy kolega. Szczebelek niżej. Wtręt z innej generacji. Pedagog na dotarciu.

- Nieważne - mówi Stępik - o to mnie głowa nie boli. Chodzi o inną rzecz: nie mogę się dogadać z młodziakami. Łatwiej mi się zrozumieć ze starszym o pół wieku niż młodszym o pięciolatkę.

Stępik był na uczelni kozakiem nie z tej ziemi. Działacz całą gębą. Zebraniował, naradował, instruował. Krew w tym człowieku miała wysoką temperaturę. Nie rozkładał planowo sił. Trwonił je rozrzutnie, spalał swoją energię, nie robił zapasów. Żył w jakimś transie, zatracał się w robocie, koledzy go stopowali: nie szalej! Ułożyli mu nagrobek:

Tu leżał Grzegorz Stępik,
Lecz niedługo leżał.
Wyciągnęli go z grobu,
By do pracy bieżał.

Uczył się nocami, sypiał w Zarządzie na biurku, nie znał wakacji, robił zawrotne statystyki: w tym miesiącu 54 zebrania! Lubili go za szczerość, za solidność, za tę nietłumioną, rozwibrowaną pasję. Jadł byle co, ubierał się byle jak i pędził, mówił, tu wytyczał, tam wytyczał, grał zawsze na wysokich tonach. Wyższe instancje doiły go jak mleczną krowę. Jeszcze to zrób, jeszcze tamto. Nie umiał odmawiać.

Wszystkie klęski jego życia brały się stąd, że nie umiał odmawiać. Ładował na siebie nowe ciężary, nowe obowiązki i hajda z tym w gonitwę, w wyścig, w wieczny kołowrót, w obłęd, zresztą sam Stępik to był obłęd!

– Teraz jestem nie ten – odzywa się i trach łebkiem o siarkę. – Nie mam tej iskry, tego bigla. Ale wtedy! Pamiętasz, jak to robiliśmy w nocy tę odprawę, jak zaczynaliśmy akcję, jak się waliło, jak potem ściągaliśmy ludzi, jak ci, co nie chcieli, to my ich, jak, jak, jak – Stępikowi zapałki fruwają w palcach, wywołuje tamte obrazy, ożywia je gestami swoich straszydlanych rąk, z ram wychodzą postaci, poruszają się, kroczą, klaszczą, chłopom kładą w głowę, sobie kładą w głowę. Stępik kładzie komuś, ktoś kładzie Stępikowi, a potem razem sobie kładą – i znowu: obrazy, rozmowy, twarze, nazwiska. Stępik to mówi, widzi, czuje, przeżywa, za dużo wtedy z siebie dał, żeby to nie istniało w nim do dziś – trwałe, przygniatające, natarczywe.

No więc lamus?

Tamte lata wypaliły go, wypompował się, spłukał. Wydał dużo i nabył dużo. Ma cały skład doświadczeń, przeżyć, mądrości. Już nie znajdzie w sobie tyle energii, żeby zaczynać od początku. Ma ustalony zawód, pracę, wiadomą, nieefektowną przyszłość. Istnieje w określonym środowisku i, jako człowiek ambitny, chciałby w nim zajmować wyraźniej zaznaczoną pozycję. Żyje wśród młodych. Chciałby im swoją przeszłość wyprzedawać. Chciałby imponować, znaczyć, być potrzebnym. Chciałby dalej jakoś pouczać, uchodzić za wyrocznię, poić spragnionych.

Czuje się młody. Właściwie dopiero teraz czułby się młody. Za poważny był wtedy, nie wybrykał się, nie nazgrywał. I lgnie do tych, którym młodość układa się na jego gust tak pysznie beztrosko, bez wypruwania żył i zbawiania świata.

A oni przyprawiają mu brodę.

Jest im nieprzydatny razem ze swoją zdolnością mobilizacji natychmiastowej, aktywizowania obojętnych i porywania przykładem osobistym. Nawet gdyby objawili szczerą wolę przepatrzenia tego, co Stępik ma w magazynie, czy zrozumieliby istotę, funkcję i kształt zgromadzonych tam rzeczy? Czy chwyciliby sens jego wyjaśnień? – Całymi miesiącami jadałem raz na dzień – mówi Stępik. – Nie było forsy? – pytają z nudów. – Nawet była, ale kto miał czas się tym zajmować? – tłumaczy. – Mógł, a nie jadł? – dziwią się.

Nie rozumieją, o co chodzi. Chyba pajacuje – myślą.

– Tak się wysilał, a co z tego ma? – pytał mnie ten na szlaku. – Nawet sobie telewizora nie kupił. – Rozumowanie chłopaka jest poprawne, jest logiczne, nie zasługuje na dyskwalifikację. Tyle dałem z siebie, tyle samo idzie dla mnie – kalkuluje ten cwaniak. Jego wszystkie wyliczenia sprowadzają się do kwestii opłacalności. Przy czym ta opłacalność ma się wyrazić w kategoriach materialnych, w nomenklaturze cyfry. Co Stępik na to może odpowiedzieć? W najlepszym razie podejrzewają go o zarozumiałość. Przechwala się bez pokrycia. Jak im udowodni, że są w błędzie?

Ani film, ani książka nie utrwaliły losów pokolenia Stępika. Nie zostały one opowiedziane. Nawet gdyby ten chłopak ze szlaku pasjonował się przeszłością, a nie przyszłością, mógłby poznać lepiej dzieje generacji Mickiewicza czy Wokulskiego niż swojego nauczyciela historii. Tamci zostali zanotowani. Stępik – nie.

O Wokulskim chłopak ze szlaku napisze wypracowanie na sześć stron: jakim był. O Stępiku potrafi powiedzieć: lamus.

Nic więcej.

A spotykają się codziennie, rozmawiają, mogą stawiać sobie pytania, wyszukiwać odpowiedzi. Nie robią tego.

Po co?

– Bywam czasem w Warszawie – mówi – widzę na ulicach, na rogach, grupki wyczekujące czegoś, bo ja wiem czego? Albo widzę ich, jak wchodzą do tramwaju, do kina. Jest w ich postawie, w zachowaniu coś takiego, że się ich boję. Wolę ich ominąć, zdaje mi się, że kiedy powiem – przepraszam – nie będą rozumieli tego słowa. Te twarze nie potrafią wyrażać wzruszeń, te ręce nie znają czułych odruchów. Skąd wiem? Odnoszę takie wrażenie. Nie rozmawiałem przecież. Próbowałem wgryźć się w swoich. Nie potrafię. Pytali mnie, czy czytałem Joe Alexa. Otóż nie. Czytałem Reya, ale nigdy Joe Alexa. Triumfowali. No jasne, jak ktoś zna Reya, czy może zrozumieć obecne życie? Żeby wiedzieć, co jest teraz potrzebne i ważne, nie trzeba sobie zawracać głowy tym, co było kiedyś. Kiedyś – to znaczy dwa lata temu i dalej. Czy dobrze trafiam?

Bo ja wiem?

Wysłuchałem, co mi mówił. Palił zapałki, gapił się w ogień. Wykańczał ostatnie pudełko, kiedy wróciłem na jałowy szlak.

Spokojna głowa gapy

W Warszawie na Ochocie mówią: gapy muszą wysiąść. Wiadomo, kim jest gapa. To dziwny człowiek. Żyje jałowo, ciągle się chmurzy, nie czuje pasji ryzyka, nęka go kompleks niemożności.

Stary „Pekin" na Grójeckiej ma swój dzień. Jego dwaj mieszkańcy – Wilczyński i Szeryk, młodzi inżynierowie z TOS-u – nabyli fiata. Teraz sposobią się do campingowego rejsu na Mazury. Pomijam tu kilka dodatkowych nazwisk. Bo samochód nie jest manną tylko dla właściciela. Z pojazdu korzysta zawsze tłumek znajomych. Nabytek fiata podniósł więc w oczach opinii nie tylko pozycję dwóch inżynierów, ale także kręgu ich przyjaciół. Należy tam i Misiek Molak.

Oto bierze udział w małej zakrapiance z okazji tej szarej pchełki, która teraz drzemie w garażu, jeszcze niedotarta. Rozmowa dotyczy opon, sałatek, taty z mamą i skrzynki biegów. Wielce ciekawa.

Misiek trąca mnie:

– Chodź. Spływamy.

Na ulicy:

– Z nimi nie ma życia. To talmudyści zagrzebani w sanskrycie techniki. Świat się obraca w rytmie czterotaktu, poruszany silnikiem na ropę. Nie mogę już słuchać.

Tworzą się nowe elity – mówi później. Jeśli dawniej łączyły je dążenia twórcze, to teraz tym lepikiem jest zasada konsumpcji. Sycić się, jak najwięcej sycić się: iluzją, hazardem, pędem, bezwładem. Piekielnie atrakcyjne hobby. Wszystko, co przeszkadza tej zabawie, jest podejrzane. Oni nie są wcale tolerancyjni. Prawda – nie rzucają na przeciwnika klątw, ale za to jak go miażdżą nieubłaganą obojętnością!

Ten przeciwnik – to on. Precyzuje różnicę stanowisk, genealogię poróżnienia: kończyli jedną szkołę, grali w jednej trampkarskiej drużynie. Tworzyli komórkę rozgałęzionej w tej dzielnicy paki Kosiorów. Potem on poszedł na uniwersytet, oni – na politechnikę. Wynikły kwestie zaangażowania politycznego: działać, markować działanie czy nie wytykać nosa. Spory roku 56, a potem rozejście. Misiek uczy w szkole, oni pracują w przemyśle. Nie wszyscy: część ma posady w administracji. To zresztą nie gra roli. Istotne są ewolucje. Jemu obsiadła głowę sfora uczniaków. Hałaśliwi, płytcy, plazmowaci. Parskają przy lekturze Wielkiej Improwizacji. Przypadkowo podsłuchuje rozmowę swoich uczennic: „Ty głupia, rób to na stojąco. Nie zajdziesz". Życie wymaga nieustannej ofiary – przerywa wykład, bo widzi, że klasa rozwiązuje krzyżówkę.

Czuje, że się zgubił. Dlaczego? I w którym momencie? Zaczyna szukać odpowiedzi. Nie w ludziach: uważa, że są ślepi. Ufa książkom. Uprawia wielogodzinne lektury. Moli się w bibliotekach. Dużo tytułów i coraz więcej pytań. Ale te wyprawy pociągają, ta wędrówka po zmrokach pachnie przygodą. Co kryje się za zakrętem tej tezy? Jakie przepaści odsłoni ta stronica? Trzeba być ostrożnym: grunt jest grząski.

Jego przyjaciele stąpają w tym czasie po twardej glebie. Mają magiczną formułę: duże A. Duże A – to symbol amortyzatora. Więc w tym zamyka się program: żyć bez wstrząsów. Nie wystawiać ciała na zdradliwe przeciągi. Snuć szczelny kokon.

Już wiemy, że pracują. Na ogół są to zdolne typy. Fachowcy zorientowani w nowinkach ze swej branży, przeczuwający jej wielkie perspektywy. Na boisku piłkarzy dzieli się na tych, co mają ciąg na bramkę, i tych, którzy plączą się po murawie. Oni mają właśnie ten instynktowny ciąg na bramkę. Misiek tylko się kręci. Tłum przegapia gapę i chłonie wzrokiem zagrania tych pierwszych, obserwuje ich akcję. Tu może być wynik! Ulubione powiedzenie Szeryka: „W sporcie liczy się tylko wynik. U nas też". Misiek mówi, że czuje wtedy, jak oblewa się potem: na koncie ma same przegrane.

– Ty gapo – krzyczą mu w twarz – ty przeklęta gapo. Gdzie cię nosi? Przyłącz się: potrzebny nam kaligraf.

Bierze jakąś partaninę. Nawet mu się udaje. Potem to przestaje go bawić. Występuje ze spółki. Bo tam już jest spółka! Wspólne organizowanie projektów, podział pracy przy wykonywaniu umów, wzajemne usługi i świadczenia. Jest to autentyczny kolektyw, utrzymuje gapa – zgrany i prężny. Jeśli jest szansa zarobku, potrafią tyrać jak mnisi. Jeśli należy odłożyć – będą głodować bez wahania. Pokorni niewolnicy swoich pasji, zobojętniali na wszystko, czego nie mają bezpośrednio przed oczami. Ich umysły osiągają stan napięcia tylko ugodzone ostrogą namacalnej korzyści. Poza tymi okresami tkwią w zupełnym rozprężeniu. Jest ono tak puste, że osiągnąwszy moment bezwładu, są zaledwie zdolni wymieniać błahe słowa, nigdy – istotne treści.

Nie znamy swoich języków – ubolewa Misiek.

A jednak pozostaje w kontakcie. Czy bawi go rola gapy? To, że uchodzi za skończonego patafiana? Nawet w jakiś sposób jest poważny. Nie podzielając zapałów tego stadka, może na nie pohukać, zadrwić z jego ciągot. Gapa nie rozpycha się łokciami. Krąży wokół czołówki jak wierny satelita, pozostaje w jej magnetycznym kręgu przyciągania, ale porusza się zawsze po zewnętrznym torze. Wie, że ci, których opasuje swoim lotem, coraz bardziej decydują.

– Dziwne, ale przyznaję, że to, co robią, jest dobre. Tworzą rzeczy, które ważą. Są cenni. Na ich pracę czekają ludzie. Bez tego, co dają światu, nikt już nie wyobraża sobie życia. Mają wyczucie konkretu, a co się jeszcze liczy, kiedy wszystko inne przecieka człowiekowi przez palce?

Tym samym gapa wydaje na siebie wyrok. Nosi jakieś piętno degradacji. Komu przydatne są jego rozterki? Gdzie jest audytorium, które wysłucha jego strapień? Ludzie – stwierdza – pogrążeni w odmęcie drobiazgowych kłopotów nie są w stanie przebić się na powierzchnię i zaczerpnąć oddechu. Unoszą ich prądy, wchłaniają wiry.

– Przesadzasz, gapa – spieram się. – A ta przesada cię zeżre. Zostanie z ciebie wiór.

Ale ja też przesadzam: gapa się uchowa. Miło jest spotkać takiego człowieka, choć to uciążliwy kompan. Ciągnie nas z miejsca w gęsty opar mędrkowania, zmuszając odrętwiały mózg do większej ruchliwości. Ale przynajmniej odświeżamy się po serii pustynnie jałowych pogaduszek, w których bezwiedny wysiłek jest nacelowany jak gdyby wyłącznie na to, aby wśród stu słów nie przemknęła się żadna myśl.

Jest to na pewno niemodny osobnik. Nie stosuje diety-cud, nie czyta powieści *Czar twoich kółek* w odcinkach, nie odkłada nawet na hulajnogę. Zadręczają go kwestie, o których istnieniu nic nie wie jego środowisko. Jest kimś za szybą: widać twarz, poruszenia, ale nie słychać jego głosu. Zostaje więc sam i samotność paraliżuje jego wolę. Gapa jest pełen energii, ale przechowywanej w stanie zamrożenia. Ma poczucie, że powinien coś zrobić, i nie wie co. Kiedy zdaje mu się, że wie – wyrasta pytanie: czy warto? Rezygnuje, macha ręką.

Wraca do domu. Zapala radio. Czyta jakieś wiersze, rzuca. Bierze Dostojewskiego. (Zastanawia się nad zdaniem: „Wydawało mi się, że dręczy go jakaś myśl, której sam nie może sobie uświadomić"). Zapala papierosa.

Eartha Kitt śpiewa *C'est si bon.*

Gapi się przez okno. Kiedy nauczą się leczyć raka? Dzieci rzucają piłką. Parzy herbatę. Jutro zmieniają filmy.

Eartha Kitt śpiewa *Let's do it.*

Czyta: „Było w tej naturze wiele pięknych porywów i szlachetnych zamiarów; lecz wszystko w niej ciągle szukało równowagi, której nie znajdowało, wszystko było chaotyczne, falujące, niespokojne". To Liza - myśli. Znowu wychodzi na ulicę. Kogoś spotyka. Rozmawiają. Mijają godziny. Nic nie widzi. Marzenie.

To wszystko.

Danka

Andrzejowi Berkowiczowi

Zacząłem od plebanii. Stukałem do masywnych drzwi. Zgrzytał zamek, chrzęściły klucze, wreszcie drgnęła klamka. Z mroku sieni wypłynął i znieruchomiał owal czujnej twarzy.

– Chciałem mówić z proboszczem.

– Pan?

– Jestem z prasy, a przyjechałem...

– Domyślam się, oczywiście. Rozumiem. Niestety, księdza proboszcza nie ma. Robię zawód, prawda? Liczył pan na coś pikantnego? Mój Boże, gdyby to było zabawne.

– Kiedy będzie proboszcz?

– Och, to nie zależy ani od pana, ani ode mnie. O tym zadecydują inni. Darujmy sobie domysły.

Twarz ukryła się w mroku, klucz znowu zachrzęścił, zamek znowu zazgrzytał. Parafia stała na końcu uliczki, biorącej początek w rynku. Stała blisko jeziora, w obłoku klonów i dębów, piętrowa, o prostej zdawkowej architekturze. Obok, ponad szczyty drzew, wynosiła się wieża kościoła z galeryjką i dzwonem. Dalej, ale jeszcze w obrębie plebanii, przycupnął domek, mała kolorowa chatka. Chyba oni tam mieszkali – pomyślałem. Podszedłem bliżej, zobaczyć, czy szyby w domku są wybite. Tak, były wybite.

Zawróciłem do miasteczka. Zamilczę jego nazwę, a reportaż wyjaśni, dlaczego. Leży ono w północnej części Białostocczyzny i nie ma człowieka, który by przynajmniej raz w swoim życiu nie oglądał jednego ze stu takich miasteczek. Nie różnią się one niczym. Mają senne twarze, całe w liszajach zacieków i bruzdach spękanych murów, a kiedy ktoś przechodzi rynkiem, odnosi wrażenie, że wszystko przygląda mu się spod przymrużonych powiek nieruchomo, natrętnie.

Rynek jest brukowany, prostokątny i pusty. Pada deszcz. Cały lipiec ocieka deszczem, ludzie przestają wierzyć w lato. I miasteczko ocieka deszczem, dachy, uliczki, chodniki. Kilka drzewek rosnących na rynku też ocieka deszczem. Pod tymi drzewkami stoi chłopak. Ma kurtkę w szeroką kratę, autentyczne farmery i znoszone trampki. Stoi tak, bez sensu i nadziei, dla samego faktu stania, aby dalej, byle przeżyć, typowy stojak spod CDT, dla którego stanie jest formą egzystencji, stylem życia, pozą i rozrywką.

Spytałem go:

- Kolega stąd?

- Teraz nie, teraz z Warszawy.

- A tu na wakacjach?

- Zgadza się.

Weszliśmy do gospody. W jednej sali była restauracja, w drugiej kawiarnia. Dym wisiał nisko, w szarych zwełnionych smugach. Kelner przyniósł wino.

- To co będzie? - spytał chłopak.

Zahaczyłem o tę sprawę z plebanią. Może on coś wie? Może przy tym był?

- Nic z tych rzeczy - powiedział. - Jak przyciągnąłem z Warszawy, to już było po wszystkim. Mowa jest krótka, za gadkę nie płacą. Opowiadali mi koleżkowie, jak te baby tam poszły. Ona jest teraz w szpitalu. Podobnież, że sztuka była nie z tej ziemi. Nogi jak sen, wyprzedzenie, buzia, wszystko na swoim miejscu. Trafiają się takie, tylko trzeba wykapować. Ja sam poderwałem jedną na wiosnę. Jezuniu, jaka słodka! Ze Śniadeckich, zna pan ulicę? Chodzę tam do technikum. Trochę dzieciak, 16 na liczniku, ale ostrzelana, szkoda słów. Człowiek, jak ma czas, to jest korba, ale co, kiedy pędzą do nauki, nie daje rady długo się migać. Tą aferą za bardzo się pan nie przejmuj. Szkoda tylko tej niuńki. Ale ludzie nie mają tu orientu. Co się dziwić.

Doradził mi: - Pogadaj pan z szefową restauranu. Ona jest oblatana.

Poszedł i przyprowadził kobietę. Była to tęga niewiasta, ubrana z przesadną, nieopanowaną elegancją. Twarz miała zarzuconą pudrem, różem i szminką. Usiadła, oparła się łokciami o stolik, palce wsunęła we włosy.

- Owszem, poszłam - mówiła - interes ode mnie tego wymaga. Prywatnie bym nie poszła, ale musiałam dla interesu. Jeślibym się sprzeciwiła, kobiety zabroniłyby przychodzić mężom do mojej restauracji. Wtedy tracę klientów, a zabiera ich hotel miejski. Hotel też ma restaurację. To jak się one zaczęły zbierać przed domem, co teraz budują koło straży, zostawiłam w lokalu męża, a sama poszłam. Najpierw było uplanowane, żeby porwać proboszcza, ale jego nie było, bo zawezwali go do kurii. Wtedy któraś krzyknęła, żeby iść do kościoła i tam Boga prosić, aby nie pomścił się na nas za tę zniewagę, jaką w jego domu świętym wyczyniają. Kiedy weszłyśmy, pan widział już kościół? – na środku stała ta figura, a pełno wiórów naokoło, bo ona jest z drzewa, a jeszcze niegotowa. To wszystkie uklękłyśmy, ale stara Sadowska zerwała się i w krzyk: Porąbać ją, porąbać i spalić. Niech zejdzie nam z oczu – tak krzyczała. I biegnie do tej figury, a tam leżały różne młotki i takie dłutka i siekierka, to ona łaps za siekierkę i zamachnęła się, a mnie się zimno zrobiło. Raz uderzyła, ale doleciała Florkowa, matka tego, co w młynie pracuje, i łapie Sadowską za rękę i mówi: – Rzuć te siekiere, nie waż się nawet dotykać figury, bo ona jest święta. A Sadowska krzyczy: – Święta? To dziwka – nie święta. Powiedziała jeszcze gorzej, ale nie będę powtarzać, pan sam wie. A Florkowa znowu do niej. Nie bluźnij, bo cię piekło pożre i nas, co na to pozwalamy. To znowu Sadowska obraca się w naszą stronę, a my, panie, wszystkie klęczymy i ze strachu mamy ołowiane nogi, i woła: Patrzcie, kobiety, nie bądźcie ślepe i patrzcie, czy to nie jest ta dziwka, przecież to ona, niech mnie ziemia skryje, że to ona. Ja panu powiem, ale tego niech pan nigdzie nie podaje, bo ze mną wtedy koniec. To była ona. Głowa, twarz, postać – te samiusieńkie. Wykapana. Ale wtedy każda czuła takie przerażenie, taki obłęd, że żadna nie śmiała potwierdzić Sadowskiej. A Florkowa stoi i zasłania ciałem figurę, i mówi: Po moim trupie, po moim trupie. A dzień był, panie, piękny, nie tak jak dziś, tylko w tym kościele szaro, mrok, ciężki strach i krzyk tych kobiet. Sadowska wtedy w płacz, w zawodzenie, a myśmy zaczęły uciekać na dwór. I co pan powie, wychodzimy, a tu od tego małego domku przy plebanii idzie ta dziewczyna, Matko Święta! Ja owszem, nie jestem zacofana na tle mody, byłam już w Sopotach i sama ubieram się łuptu-date. Ale przecież tego u nas nikt nie widział. A sam nasz proboszcz to wykrzykiwał dawniej na zgorszenie, że aż się trzęsło. Siatkówki dla dziewcząt zabronił. Sama nie wiem, co go teraz opętało. Idę po rozum do głowy, ale nie wiem. No więc ta dziewczyna nadchodzi, a kostium ma, jak to się mówi, bikini. Mężczyzna kichnie i już wszystko zlatuje. Pan wie, kobiety nie lubią jedna o drugiej dobrze mówić, ale ja nie jestem zacofana i przyznam, że ta dziewczyna była jak róży pąk. Za taką każdy chłop pójdzie na męki i katusze. O Boże, no i, proszę pana, kobiety ją widzą i dawaj syczeć. Jakby poszła dalej, to może nic by nie było, jakby spotkała nas innego dnia, to też może by nic nie było, ale myśmy akurat wyszły z kościoła i tam rozegrał się ten dramat, co już opowiedziałam, i każda miała w sercu strach i gorycz i chciała się tego pozbyć. Dziewczyna podeszła i spytała: Panie kogoś szukają? Wtedy wysunęła się Maciaszkowa i mówi: Tak, ciebie, zarazo! I łup ją laską w głowę, bo Maciaszkowa jest kulawa i nosi laskę. A potem drugi raz jej dolała i trzeci. Ja stanęłam, panie, jak kamień, w oczach mi się zrobiło ciemno i myślę: co tu będzie, co tu będzie, a myśli mi się tłuką w głowie, jak sroki w dziupli. One ją leją, a ja ani drgnę. Potem jeszcze poszły do tego domku, szyby potłukły, graty wywlokły i połamały, choć graty były proboszczowe. Na ten moment patrzę, a idzie Michaś, znaczy nasz kościelny. Wołam to babom, a one chodu. Ja za nimi. Już powiedziałam na milicji, że interes mój tego wymaga, żeby zawsze iść z ludźmi. Zacofana nie jestem, ale iść musiałam.

Posterunek milicji mieści się również w rynku, naprzeciw gospody. Łatwo stąd widzieć, w jakim stanie bywalcy opuszczają lokal. Gościa można szybko przeprowadzić na drugą stronę placu, gdzie pod kłódką trzeźwieje i odzyskuje równowagę. Dyżurny milicjant siedzi za barierką i obserwuje rynek; mówi:

- Ogólnie, to tu jest spokój. Ale było jedno zajście. Takiego jeszcze u nas nie było.

- Właśnie - wtrącam - chodzi mi o szczegóły. - Uśmiecha się niejasno, bo nie chciałby mówić bez zgody kierownika. Po godzinie przerzucam teczkę materiałów otrzymaną od kierownika posterunku. Kierownik pomaga mi chętnie, proponuje nazwiska, podaje adresy. Szperam w papierach rozrzuconych na biurku, coraz to nowe wyjmuje z teczki.

„...Nadmieniam że pierwsza przyszła do mnie ob. Helena Krakowiak moja sąsiadka, która nadmieniła dosyć już tej obrazy zgorszenie idzie na okolicę sam Pan Jezus wypędzał lichwiarzy z kościoła czym daje nam przykład. Nadmieniła także samo że my dajemy pieniądze na tacę dzieciom od ust odejmując a oni się pasą żeby mogli bezeceństwa wyprawiać. Miesiąc już patrzymy na to że przyszedł kres naszej cierpliwości czy długo będziemy cierpieć te widoki zaznaczała ob. Helena Krakowiak jeich dzieci niech diabeł święci i się przeżegnała. Wyżej wymieniona podkreśliła że figurę Matki Boskiej można było zakupić ze składkowych pieniędzy a wtedy by nie było takiej obrazy moralności i rozpusty jakiej świat nie widział. Następnie pragnę podać że przychodziły do mnie jeszcze inne obywatelki a to (tu szereg nazwisk) przyznające rację wyżej wymienionej która to obywatelka zapodała myśl aby przepędzić tę prostytutkę jak się wyrażała bo kurwów nam na plebanii nie potrzeba co jeszcze powiedziała. Wyżej wzmiankowane potwierdziły że innego wyjścia nie ma i ob. Helena Krakowiak wskazała miejsce koło straży na dzień wtorek 28 czerwiec na godzinę 4 po południu żeby dać jeszcze chłopom i dzieciom obiad oraz pozmywać i zamieść..."

Jeszcze tego dnia mówiłem z sekretarzem Komitetu Miejskiego. Siedział naprzeciw mnie, wysoki, żylasty, garbił rozłożyste ramiona. Pocierał czoło, zastanawiał się, zdania wygłaszał powoli, z namysłem.

– Wiecie, towarzyszu, to przecież mogła być prowokacja.

– Z czyjej strony? – spytałem.

– Ze strony kleru. Kler takie rzeczy lubi robić, jak mu się nie patrzy na ręce.

Trwał przy tym zdaniu, nie dopuszczał innej wersji. Musiała to być prowokacja, powtarzał. Nie znałem proboszcza, a on go znał. Proboszcz miał posunięcia, które były bardzo wymowne. Wystarczyło je zanalizować. Ich sens był jasny. Całkiem jasny.

Zmieniliśmy temat. Nowy temat cieszył sekretarza i mnie. W miasteczku powstanie fabryka. Już kopią fundamenty, będą też budować osiedle. Miasteczko rozrusza się, zagra nowym życiem. Znajdzie swoje miejsce na gospodarczej mapie kraju. Już dzisiaj jego przyszłość rysuje się obiecująco. Przyrzekłem przyjechać na reportaż. Podaliśmy sobie ręce, znowu chodziłem uliczkami, padał deszcz, woda szumiała w rynnach, ten chłopak w farmerach stał pod drzewkami w rynku. To on zalecił mi spotkanie z kościelnym, prowadził mnie przez dziury w płotach, przez sienie i podwórza. Mieszkanie, do którego weszliśmy, było pełne łóżek i krzeseł, tępionych w stołecznych pismach obrazów i wykpiwanych figurek. Dwóch mężczyzn siedziało przy stole. Jeden stary z ręką na temblaku, a drugi blondyn, postawny i wysoki, jak się okazało – jego syn. Stary wstał i wyszedł.

– Ojciec choruje – powiedział blondyn – ręka mu się jadzi i jadzi. Siedzę tu, żeby mu pomóc, bo mamy też kawałek pola, ale tak się wyrywam do dużego miasta! – Michał S. jest już po wojsku, kiedy wrócił do domu, zmarł stary kościelny i jego wzięto na zastępstwo. Innej pracy nie mógł dostać, dopiero może jak zbudują tę fabrykę. Zorientowałem się, że swoją funkcję traktuje z przymrużeniem oka, jest otrzaskany w świecie i zmieni zawód przy pierwszej okazji.

– Pan w sprawie tej draki? – Śmiał się, że mnie to interesuje. Zaczynało zmierzchać, deszcz padał, okna ociekały wodą. – Może zrobię herbaty? – zaproponował Michał.

– On przyjechał jeszcze w maju. Akurat przecinałem gałęzie. Podchodzi mężczyzna i pyta o proboszcza. Nie miał więcej jak trzydzieści lat, ubrany w sweter, chustka naokoło szyi, a w ręku trzyma pakunek. Zaprowadziłem go do kancelarii. Powiedział „dzień dobry" i przedstawił się. Mówił, że jest rzeźbiarzem z Wrocławia. Rozpakował papier, a tam była głowa kobiety. Proszę spojrzeć, powiedział, to rzeźba Marii w gipsie. Czy ksiądz by nie reflektował? Nasz stary zaczął to oglądać, brał do ręki, ważył, ale potem mówi: Nie, że nie weźmie. Tamten wziął głowę i pakuje ją z powrotem, a stary każe mu siadać i zaczyna go wypytywać, gdzie się uczył, co robił, czy miał wystawę i takie detale. Widać spodobał się staremu, bo ten mówi: Wie pan, tej Marii nie kupię, ale nasz kościółek był wiosną odnawiany, restaurowaliśmy boczny ołtarz, a tam brakuje rzeźby Marii Panny. Kiedyś była, tylko robactwo tak ją zżarło, że się rozsypała. Może by się pan tego podjął? Ten mówi, że owszem, więc poszli zobaczyć na miejsce. Rzeźbiarz obliczał, obliczał i mówi: W porządku, pięć tysięcy i w porządku. Na to stary – protest. Że nie ma forsy, remont wyczyścił mu kasę i tyle nie da. Targują się, aż proboszcz zaczyna tak: Zrobimy inaczej, mówi, mam tu domek dla kościelnego, ale on mieszka w miasteczku, więc domek stoi pusty. Pan w nim zamieszka, ja przeżywię, a pan mi tę rzeźbę zrobi. Tu jest jezioro, las, okolica piękna. Rzeźbiarz nie odzywa się, widać, że coś kombinuje, a potem odpowiada: Zgoda, proszę księdza, ale pod jednym warunkiem. Pracuję obecnie nad rzeźbą, na której mi bardzo zależy, i nie mogę tej pracy przerwać. Robię tę rzeźbę z modela. Otóż przystanę na propozycję, jeśli ksiądz pozwoli mi zamieszkać tu z modelką. Stary się przestraszył: Tu, na plebanii!? – woła. Patrzę na niego i widzę, że ma pietra. Nie chciał, nie chciał, ale złasił się na forsę i wreszcie powiedział: Zgoda.

Przyjechali z początkiem czerwca. Wtedy ją zobaczyłem. To nie była kobieta, to był cud. Zgrabna, śliczna, jasne włosy. Przywitała się ze mną i mówi: Na imię mi Danka. A panu? Mnie zatkało. W gardle dusi, w oczach latają mi płatki, czuję, że skonam. Coś wybełkotałem, ale zaraz myślę: Michał, dziwne rzeczy zaczną się u nas dziać. No i patrz pan – zgadłem.

Stary najpierw przed nią uciekał. Siedział u siebie, nie wychodził. A ona jakby była na plaży – rozbiera się, koc na trawę i opalanie. Od rana do wieczora ciągle w kostiumie. Wierz mi pan, na nią to się człowiek bał patrzeć. Bo jak się patrzał, chciało mu się płakać, że jest takie nic, takie zaplute zero i że może wyć do końca świata, a ona na niego nawet nie spojrzy. Ten rzeźbiarz chodził koło niej jak psiak. On ją musiał kochać, musiał ją kochać za wszystkich mężczyzn, którym tego nie było wolno. Chłop był z niego na poziomie, bardzo równy. Pomagałem mu znaleźć drzewo, ostrzyłem mu narzędzia, nieraz do miasta szedłem kupować im wino. W zgodzie żyliśmy. Kiedy już było drzewo, od razu zabrał się do roboty. Rękę miał pewną i ciął śmiało, szło mu to wprawnie. Wtedy stary zaczął wychodzić z plebanii. Kluczył między drzewami, a Danka leżała na kocu. Co chce stary podejść, zaraz się cofa. Kusiło go, ale się trzymał. Patrzyłem się czasem, to mnie śmiech brał. Nieraz wstawała i chciała do niego przyjść, ale wtedy stary buch do kościoła. Taka zabawa jak w kotka i myszkę. Szkołę to on z nią miał. Do rzeźbiarza zaglądał często patrzeć, jak mu idzie robota. Siadał na ławce, przyglądał się i z początku nic nie mówił. Dopiero jak ten zaczął obrabiać twarz, stary wdał się z nim w dłuższe pogawędki. Też przychodziłem na tę rzeźbę popatrzeć i widziałem, co się święci. On rzeźbił Dankę. Rzeźbił jej twarz, szyję, ramiona. Dalej szły długie szaty, ale od góry to była Danka. Stary pytał, czy usta nie są zbyt szerokie. Bo ona miała usta drobne, pełne, ale drobne. Czułem, że chciał, żeby ta Maria w ołtarzu była obrazem Danki. Ale przecież wprost powiedzieć tego nie mógł.

A w mieście już szumi jak w ulu. Chłopaki latają podpatrzeć, baby przychodzą niby to się modlić. Ruch koło plebanii wielki. I zaraz gadanie, plotki, domysły, co pan chcesz. Mnie też ciągle zaczepiali: Michaś, a co to za jedni? A ja im prawdę mówiłem, bo człowiek jest głupi. Poszło parę bab z delegacją do proboszcza. Coś im wytłumaczył, na parę dni spokój. A potem znowu to samo i jeszcze gorzej. Raz starego wezwali do kurii, a ten rzeźbiarz pojechał akurat do Białegostoku po dłuta. No i wtedy przyszły te zołzy.

Michała S. przy tym nie było. Pomagał potem odwieźć ją do szpitala. Wrócił i opowiedział wszystko jedynemu człowiekowi, który w mieście przyjaźnił się z rzeźbiarzem. Był to polonista Józef T.

Józef T. (odwiedzam go o późnej godzinie) mówi:

– Siedzieliśmy wieczorem. To było nad morzem kilka lat temu – powiedział do mnie rzeźbiarz. Szukałem tematu do pracy dyplomowej. Łaziłem na plaży, traciłem dni. Na plaży łatwiej znaleźć model niż w mieście, ludzie są rozebrani. Nie spotkałem nic ciekawego. Kiedyś zaszedłem na brzeg, miejsce było puste, rozciągnięta na piasku butwiała rybacka łódź. Podszedłem, za łodzią siedziała dziewczyna. Czy musi kolega stanąć akurat tu? – spytała. Gdyby koleżanka mogła się zobaczyć, nie zadawałaby takich pytań – odparłem. Byliśmy bardzo młodzi, wtedy obowiązywała ta forma. Po miesiącu Danka pojechała ze mną do Wrocławia, na moje poddasze. Tu ją rzeźbiłem. Tytuły prac musiały mieć swoją wymowę, więc rzeźbę nazwałem „Dziewczyna po pracy" i zawiozłem na wystawę. Wtedy jury ją odrzuciło. Orzekli, że jest zbyt sakralna. Byłem złamany, nie mogłem sobie znaleźć miejsca. Godzinami leżałem na łóżku w zupełnym zamroczeniu. Wreszcie wpadłem na zwariowany pomysł. Pożyczyłem u dozorcy wózek, zapakowałem rzeźbę i jadę do kurii biskupiej. Mówię im: Kupcie to, panowie, rzecz nazywa się *Madonna oczekująca zwiastowania*. Naradzali się, w końcu nie wzięli. Jest zbyt socrealistyczna, tak mówią. Nie miałem już sił, zawlokłem wózek nad Odrę i łomem potłukłem cały gips. Bo to był gips. Kiedy się opamiętałem, zobaczyłem, że została jeszcze głowa rzeźby. Chciałem ją wrzucić do rzeki. Nie zrobiłem tego, wziąłem ją ze sobą. Przyniosłem do pracowni, rzuciłem w kąt.

Dopiero w tym roku spotkałem znowu Dankę. Wszystko było jak przedtem. Chodź, pojedziemy na Mazury – mówię do niej. Zgodziła się. A ja nie miałem grosza przy duszy. Przypomniałem sobie o tej głowie. Myślę: Wezmę ją, opchnę jakiemuś księżulowi i przy okazji wynajdę metę. I tak tu trafiłem.

A dzisiaj jest niedziela. Deszcz pada, deszcz nie przestanie już chyba nigdy padać. Powódź. Potop. Ludzie tracą domy. Ciężkie straty gospodarcze. Z okna hoteliku widzę, jak mimo chlapy wychodzą na ulicę mieszkańcy miasteczka i odświętnie ubrani kroczą godnie w stronę rynku, do gospody albo do kościoła. Ubieram się i wychodzę. Niektóre twarze już znam. Kłaniamy się sobie. Reporter nie może na długo się ukryć. Więc nie przemykam się skrytymi przejściami, ale idę ulicą główną, ludną i pogrążoną w błocie.

Wchodzę do kościoła. W blaskach świateł stoi drewniana rzeźba, postać ślicznej dziewczyny. Dzieło nie jest dokończone, ale twarz, głowę, ramiona mistrz zdążył już oddać w szczegółach. Są to szczegóły najwyższej klasy. Ludzie podchodzą, przyklękają, zginają grzbiety. A ja zadzieram głowę wysoko. Nie mogę się napatrzeć.

Nikt nie odejdzie

Nie chciałbym tam mieszkać. Tam stoi stół nakryty kraciastym obrusem. Więc przy tym stole nie chciałbym więcej siedzieć. I są sztuczne kwiaty o nieugiętych drucianych łodygach. Tych kwiatów nie chciałbym również widzieć. Za szafką stoi siekiera. Dali mi ją do ręki, żebym zobaczył, czy jest ciężka. Tak, jest ciężka. Tym ciężarem siekiera zawisła nad trzema głowami. Nad siwą, drobną głową ojca. Nad gładkim włosem otoczoną głową matki. Nad wykończoną równym jeżem głową syna. Jak w nich nie ciśnie, to we mnie ciśnie, mówi ojciec. Ojciec toby chciał syna zamknąć. Matka toby chciała zamknąć ojca. Już najlepiej, żeby z nami się coś stało, powiada syn. Wtedy życie byłoby inne. Bo takie dalej już nie może być.

...więc jak przychodzę, wtedy oni do mnie. Od razu gwałtu, od razu się rzucają. Najgorszy jest chłopak. Ja chciałem, żeby on mi na stare lata grał. Kupiłem mu pianino, kupiłem akordeon. Ale jemu nie muzyka w głowie, jemu wódka. Myślałem, że sobie siądę wieczorem – to on mi pogra. A on mi chce grać, ale na żebrach. Ona tego chłopaka przeciw mnie podburza. Ona mówi: Władziu, daj mu, żeby wiedział! I ja tego nie mogę wytrzymać. Kładę się spać – to nie wiem, czy wstanę. Muszę uważać, żeby silnie nie zasnąć, bo jak silnie zasnę, to zrobią ze mną koniec.

...ależ co on wygaduje. Ja ważyłam 87 kilo, a teraz ważę 54. To on ze mną tak zrobił, mój mąż. On najpierw nic, tylko chodzi i chodzi. A potem byle co i zaczyna nim trząść. Wtedy z niego wylatuje krzyk. Tego krzyku już się nie boję. Ale jak złapie coś w rękę, wtedy się boję. Najgorzej, jak złapie siekierę. Wszystko może mi zrobić. Jemu o nic nie chodzi, tylko o jakieś byle co. Ja już wypłakałam oczy, moje ręce latają – o – tak. I nie ma wyjścia. Tylko ten syn się biedzi, ten syn mnie kocha.

...matki nie dam ruszyć. Pan wybaczy, ale nie dam ruszyć. Jak on do matki, to ja do niego. Pan wybaczy, ale tak jest. On mówi, że ja lubię wypić? Nie powiem, czasem wypić muszę. Ja jestem muzyk, gram na weselach. A muzyk jak nie wypije, to nie jest żaden muzyk, pan wybaczy. Zresztą mnie dużo nie trzeba przy mojej gruźlicy. Już po paru kieliszkach jestem miły. A czasem wystarczy jeden kieliszek. Nawet po piwie jestem miły, pan wybaczy. Skąd mam chorobę? Bo ojciec mnie wypędzał spać do psiej budy. Widocznie z tego. Ale wszystko zniosę, ten gnój w płucach, to, że nie daje mi się uczyć, to wszystko mogę znieść, ale matki nie dam ruszyć.

...ten dom znamy na pamięć. Stary ciągle do komisariatu lata, żeby ich zamknąć, bo go zabiją. Ale to on ich może zabić. My im mówiliśmy, żeby się uspokoili, że im milicja nakazuje spokój. Ale skutku nie ma. Czy takich małżeństw jest dużo? Tak, dużo. Przeważnie wśród starszych. Jedno kotłowanie, jedno piekło, tylko chodzić i rozdzielać, bo złapać, to się złapią, ale rozdzielić to nie mają siły. Dużo takich, małżeństw. Przeważnie wśród młodych.

Bierzemy ten wypadek z milicjantem z Piastowa pod światło i dziwimy się, jak to jest. Bo stary to dobry robotnik. W produkcji go chwalą za pilność, za solidność, za fach. Stary nie pije, roboty nie unika. A ona jest kobietą nad wyraz spokojną. Z niej gospodyni wielce zapobiegliwa. Czysty dom, oprany, wymieciony. A chłopak też porządny, żadnych doniesień nie miał, żadnych zajść nie robił, chociaż młody. Przecież to chłopak nieszczęśliwy, ciężko chory. Powinien się leczyć, ale jak, skoro domu opuścić nie może, żeby chronić matkę. I matka domu nie opuści, żeby dbać o syna. A ojciec z domu nie pójdzie, bo to jego dom.

Wszystko to są dobrzy ludzie. Tu ich lubią, cenią, poważają. Tylko jeśli każde jest z osobna. Bo jak się zejdą, wtedy można się przeżegnać. Bo zaraz pachnie trupem. On zaczyna od wyzwisk. Ty dziadówko, woła. Ja dziadówka? I kobieta wyjmuje z pudełka stare fotografie, grzebie rozlatanymi palcami. Proszę, to mój ojciec. W wiklinowym fotelu siedzi starszy pan, wąsaty, w solidnym garniturze, z okazałym krawatem. Więc czy ja mogę być dziadówką? Albo mi mówi: Ty taka owaka. Panie, czy ja wyglądam? On mówi, że ja chcę sobie szukać chłopów. No, niech pan na mnie spojrzy. Więc spojrzałem na tę zniszczoną, zrujnowaną istotę i muszę wam powiedzieć, że musielibyście dobrze szprycować waszą wyobraźnię, aby mógł pojawić się w niej obraz tych chłopów, których ona by mogła sobie znaleźć.

I tak od słowa do słowa, od tych słów do siekiery. Taka karuzela. Cała trójka zamęcza się, wyniszcza, unicestwia. Nie mają o co i nie wiedzą o co. Nawet nieważny jest ten powód, którego zresztą nie są w stanie podać. Ważny jest ten styl życia, do jakiego z wolna przywykli. Wszyscy spełniają swoją doniosłą misję, pełną poświęcenia. Ojciec poświęca wszystko dla nich, matka dla syna, syn dla matki.

Wszyscy muszą żyć, bo jedno drugiemu jest potrzebne. Ojciec jest przekonany, że gdyby nie on, tamci by z głodu pomarli. Matka jest pewna, że gdyby nie ona, chłopak by szybko żywot w gruźlicy zakończył. Syn głęboko wierzy, że gdyby nie on, ojciec by matkę zatłukł na śmierć. Dlatego nie mogą się rozejść, rozjechać w trzy strony świata. Wszyscy są związani na amen, na całą ziemską egzystencję. Dużo jest takich małżeństw, mówi mi milicjant. Przeważnie wśród starszych. I powtarza zamyślony: Tak, dużo. Przeważnie wśród młodszych.

Uprowadzenie Elżbiety

– Siostro – spytałem – dlaczego siostra to zrobiła?

Klęczeliśmy w śniegu, pod niskim niebem, między nami była żelazna krata. Przez kratę widziałem oczy zakonnicy, oczy wielkie, brązowe, z gorączką w źrenicach. Milczała, patrząc gdzieś na bok. Ludzie, którzy patrzą na bok, mają coś do powiedzenia, ale strach knebluje im gardło. Potem usłyszałem jej głos:

– Co mi pan przywozi?

A ja nie miałem nic. Nie miałem żadnych słów ani żadnej rzeczy. Jechałem tu pociągiem, brnąłem w śniegu przez las, stukałem do furty klasztornej, a w końcu stałem przed stromą kratą, przynosząc jedno jedyne pytanie, które już zadałem. I które zostało schowane w sztywnych fałdach habitu – bez echa.

Dlatego odparłem:

– Właściwie nie wiem. Może tylko krzyk matki.

Ten krzyk budził wieś po nocach. Kobiety rozparzone gorącem pierzyn, snu i miłości zrywały się z łóżek. Ostrożnie stawały przy oknach. Ale widać było tylko mrok. Dlatego mówiły mężom: Idź, stary, zobacz, co tam jest. Chłopi upychali nogi w cholewach i wychodzili na dwór. Szli zaspani, obmacując rękami ciemność, jak gdyby krzyk był czymś takim, co można chwycić w garść niczym snopek żyta i przydusić kolanem do ziemi. W końcu znajdowali przy figurze kobietę wysoką i chudą, w starym płaszczu. Kobieta kaszlała. Miała wpadniętą klatkę i ramiona ustawione tak, jakby czekała na przyjęcie kogoś drogiego. Ale ona zamykała w tych ramionach nie czyjeś życie, a własną śmierć. Nosiła w sobie gruźlicę. Chłopi mówili kobiecie: Co tak ćmokacie po nocy, idźcie spać – i uspokojeni, że to nie mord, nie kradzież i nie pożar, tylko zwykły ból i nie ich własna przecież rozpacz, wracali w ciepło pierzyn, snu i babskich ciał.

Potem tę chudą z ramionami w kabłąk odwieźli do szpitala, bo w tym jej krzyku była już krew. Wieś mogła teraz spać pośród ciszy, chłopi przestali obmacywać rękoma ciemność. W trzy miesiące kobieta wróciła. Ludzie widzieli, że teraz jej oczy są suche i kamienne, a pierwszej nocy przekonali się, że w jej płucach nie ma krzyku. Wieś, która przedtem bała się krzyku, teraz zlękła się milczenia. Milczenie wciągało ludzi jak głęboka woda. Zaczęli odwiedzać kobietę. Zachodzili do izby, takiej samej jak wszystkie izby na wsi – z bukietem sztucznych kwiatów, z kolorową fotografią ślubną i z gipsową tancerką o zgrabnie wymodelowanym biuście. Wysoka kobieta otwierała szafę i pokazywała wiszące tam rzędem sukienki. Kolorowe sukienki, tanie i trywialne, bo to przecież, mój Boże, wcale nie chodziło o Paryż. Mówiła:

– Ona mi nie pozwoliła niszczyć tych sukienek. Ona wołała: „Mamusiu, ja wrócę".

Wtedy mąż tej wysokiej kobiety prosił:

– Przestań. Już przestań.

Mąż leżał na łóżku wsłuchany w swoje serce. Jego serce poraził drugi zawał, więc leżał nieporuszony i słuchał. Pocił się od tego słuchania, ponieważ było pełne napięcia i wysiłku. To jest takie uczucie, redaktorze, że słucham nie tego uderzenia, które jest, ale tego, które ma nadejść. Czy się odezwie, czy będzie cisza.

Leży więc tak, nieruchomy, z nadciśnieniem 250, zajęty własnym sercem i już niczym więcej, ponieważ samo serce jest całym światem, a żaden człowiek nie potrafi ogarnąć dwóch światów naraz. On już swoje odbył, ten człowiek z drugim zawałem. On był na wyrobku, na robotach, w obozie i więzieniu. Z tą wysoką kobietą miał jedno dziecko, córkę Elżbietę. Elżbieta urodziła się w roku 1939, miesiąc przed wojną. Niemcy wzięli męża za drut, wysoka kobieta została sama. Chodziła do buraków. Ta robota zabiera siły, bo ziemia buraczana jest ziemią ciężką. Matka kładła Elżbietę między bruzdy, w cień mięsistych liści. Sama kopała w słońcu, zdyszana i kaszląca. Odpadały jej ręce. Wieczorami dorabiała, pisząc dziewczętom listy do chłopaków: „W pierwszych słowach mojego listu chcę Ci drogi Waldku zapodać że nie wiem czy Twoje uczucie bije tym samym sentymentem co dawniej ale jeśli jest bez ustępstwa w swym nieprzejednaniu to moje jest takie samo do Ciebie co Ci donoszę". Za taki list dostawała trzy jajka, a jeśli był to list, w którym namiętność miała eksplodować z siłą płomienną, to dostawała kurę.

Po wojnie ojciec wrócił i, jak to było częste w tamtych latach, dziecko musiało nauczyć się mówić „tato" człowiekowi, który był mu obcy. Ale nie był obcy matce tej córki. Z tego spotkania po długiej rozłące nic się nie narodziło. Elżbieta została jedynaczką. Zaczęła chodzić do szkoły, a potem do liceum. Ten z dwoma zawałami i wysoką kobietą to są prości ludzie. Oni nie wiedzą nic o systemie Platona ani o tym, że Szekspir jest wielki i że Mozart umierał, przeklinając świat. Ale widzieli w miasteczku na wystawie książki i może ktoś im mówił, że istnieją na świecie ludzie, którzy mają dużo w głowie i że takich ludzi otacza szacunek. Dlatego chcieli, żeby Elżbieta się uczyła. Ale człowiek o dwóch zawałach nie mógł pracować a wysoka kobieta miała tylko rentę. I jeszcze miała gruźlicę. To było dobre, mówi mi ta kobieta, że miałam gruźlicę, bo jak dostawałam z poradni lekarstwa, to je sprzedawałam po cichu, żeby Elżbiecie dać, na co jej było potrzeba.

Elżbieta zrobiła maturę w roku 1957 i została nauczycielką. Dobrą nauczycielką, tak mówią opinie. Biorę do ręki zdjęcie zrobione w tamtym czasie. Na tym zdjęciu Elżbieta jest uśmiechnięta, ale człowiek o dwóch zawałach i wysoka kobieta stoją bardzo poważni. Są poważni, ponieważ napełnia ich duma. Zostawcie na chwilę wasz podziw dla twórców maszyn elektronowych, dla konstruktorów rakiet i budowniczych nowych miast. Pomyślcie o matce, która straciła płuca, o ojcu, który zharatał serce, żeby ich córka mogła zostać nauczycielką.

Elżbieta jest nauczycielką, a teraz pójdzie na studia. Ale Elżbieta nie idzie na studia. W roku 1961 wstępuje do zakonu. Cios był miażdżący, był morderczy. Matka błąkała się nocami po drodze i rozbudzeni chłopi, obmacując ciemność, odnajdywali wreszcie wysoką kobietę u kresu sił, a potem uspokojeni, że to nie mord, nie kradzież i nie pożar, tylko zwykły ból i nie ich własna przecież rozpacz, wracali do chałup w ciepło pierzyn, snu i babskich ciał.

Wysoka kobieta zostawała sama. Samotność nie była jej obca. Jeszcze kiedy Elżbieta chodziła do liceum, zakonnice ciągnęły ją do siebie. W domu Elżbiety było zimno, w garnczkach pusto, matka leżała i pluła skrzepami. U zakonnic było ciepło, dawały dobrze zjeść. Siedziała tam całymi dniami.

Spytałem później:

– Siostro, czy w tamtych czasach któraś z zakonnic zadała kiedy siostrze pytanie, czy matka ma przy łóżku szklankę wody?

Odparła: – Nie.

– A czy któraś z zakonnic powiedziała siostrze: córko, zanim przyjdziesz do nas ogryzać kurczaka, ugotuj matce bodaj kartofli w łupinach.

Odparła: – Nie.

Po maturze wzmogły się naciski zakonne na Elżbietę. Była dziewczyną potulną, zamkniętą, uległą. Matka mówi, że była dziwadłem. Przechodziła stany lęku, często płakała. Co one jej mówiły? – spytałem wysoką kobictę. One jej mówiły słowa ogólne, które są zawsze groźne. Słowo: potępienie i słowo: wieczne, słowo: pamiętaj i słowo: przeklęci. Elżbieta wracała z gorączką.

W końcu Elżbieta zniknęła z domu. Pierwszy list, który przysłała z klasztoru, zaczyna się zwrotem: „Przez Maryję do Jezusa!". Tych listów jest kilka. Czuje się na nich rękę cenzora, ale i tak przemykają się tam zdania wymowne: „Proszę Boga, aby dał mi łaskę wytrwania aż do końca". Albo: „Czy wykluczyliście mnie już z waszej pamięci? Błagam, nie czyńcie tego".

Wysoka kobieta chciała walczyć. Czym może walczyć taka kobieta? Wszystko, co ma, to są zdjęcia płuc. Oglądam ten ponury dokument cały w dymach i w smolistej czerni jam. Z tym zdjęciem wysoka kobieta jedzie przez pół Polski do klasztoru. Przyjmuje ją przełożona. Ta przełożona, która nie jest lekarzem, bierze teraz do ręki zdjęcie, przygląda mu się i wybucha śmiechem:

– Ach, to przecież nic nie jest.

Matka wraca, ale nie zastaje męża. Mąż leży w szpitalu, ma ten drugi zawał. Lekarze wątpią, czy go przetrzyma. Matka wysyła do Elżbiety list, żeby natychmiast przyjeżdżała. Ale Elżbieta nie zjawia się. Ten list nie został jej wtedy doręczony. Zamiast niej, w szpitalu, gdzie leży nieprzytomny ojciec, zjawiają się dwie zakonnice, aby sprawdzić, czy rzeczywiście coś temu ojcu jest. Czy któraś z sióstr jest córką chorego? – pyta ordynator. Nie, my jesteśmy z polecenia – odpowiadają i cofają twarze w cień nakrochmalonych chust.

Więc matka wysyła list do Prymasa Polski. I ten list czytałem. A także czytałem odpowiedź. Jest to mały blankiecik, drukowane sztampowe pisemko kancelarii Prymasa, w którym się mówi, że „zarzuty skierowane pod tym adresem są nieprawdziwe i radzimy zachować spokój". Myślę sobie, że to nie jest zła rada. Albowiem dobrą jest rzeczą, aby przy chorobach gruźlicy i serca zachowywać spokój. Myślę też, że na tę odpowiedź złożyły się wieki doświadczeń i że nawet jest wiadome, jakich to mianowicie doświadczeń. Mogę jeszcze myśleć to i owo, ale przecież moje myślenie nie ma tu żadnego znaczenia. Mogę powiedzieć: szkoda mi tej wysokiej kobiety i tego mężczyzny o nadciśnieniu 250. Tej kobiecie i temu mężczyźnie nie sprzyjało życie, chociaż oddali mu i płuca, i serce. A potem podjęli walkę. Ale człowiek samotny, jeśli podejmuje walkę o swoją sprawę, to tylko w chwili naiwnego zapomnienia, że racja musi ustąpić przed siłą. A ta chwila przecież w końcu mija. I zostaje to, co zostaje.

Dlatego powiedziałem Elżbiecie:

– Właściwie nie wiem, co przywożę. Może tylko krzyk matki.

I teraz ten krzyk, którego przecież nie da się chwycić w garść niczym snopek żyta i przydusić kolanem do ziemi, wydał mi się czymś zupełnie konkretnym. Mogłem go słyszeć, widzieć i dotknąć. On był naprawdę, nawet jeśli tylko trwał przez moment. Słyszało go wielu ludzi i ci ludzie wiedzieli, dlaczego ta wysoka kobieta krzyczy. Ci ludzie mogli się nad nim zastanowić. I to jest dużo, jeśli się nad nim dobrze zastanowili.

Milczeliśmy z Elżbietą, stojąc przy kracie. Zaczęły schodzić się zakonnice. Najpierw było ich trzy, potem pięć, a wreszcie przestałem liczyć. Przesuwały Elżbietę do tyłu. Przestałem ją w końcu widzieć. Widziałem dużo nieruchomych twarzy, ale nie było już twarzy Elżbiety, nauczycielki spod Kalisza.

Więc zawróciłem i poszedłem po śniegu, przez las, na stację.

Dom

Czego tu szukam?

71 drzwi.

Wydeptuję schody, duszę dzwonki. Są drzwi, które milczą. Można postawić przy nich kreskę - nie ma nikogo w domu. Ale inne drzwi mówią, przekazują pytania z piętra na piętro, od klamki do klamki: kto tam?

No więc:

- Kto tam?

Trzeba się określić, zdefiniować lapidarnie, przecież nie sposób mówić życiorysu przez dziurkę od klucza. Chodzi o jedno słowo. Ale jakie?

Ba, kiedy sam nie wiem. Najpierw próbuję wejść. To się zwykle udaje. Czasem ktoś spyta, czy zdejmę płaszcz. Albo - czy usiądę. Raz dostałem cukierka, a raz kawę. Tuzin dzieci pogłaskałem po głowie, wycmokałem w dłonie około czterdzieści niewiast. Poczęstowałem papierosem ośmiu mężczyzn. Mnie poczęstował jeden. Trzy starsze panie powiedziały, że jestem młody, dwie młode, że stary. Co do mnie, to nie szczędziłem komplementów. Często się uśmiechałem. Około stu razy powiedziałem: przepraszam, z tego połowa: bardzo przepraszam.

No dobrze, ale po co przyszedłem? Gdybym był zgrzybialcem, oparłbym się na lasce i rzekł niespiesznie:

- A tak, posiedzieć, odpocząć...

Ale mi to nie wypada. Łapię spojrzenia zdziwione, niepewne, często niecierpliwe. Ludzie czekają na pytania. Cisza w pokoju, przyglądamy się sobie. Co im powiedzieć? Jeżeli chce się z człowieka wyciągnąć kawał prawdy, trzeba mieć pytanie jak harpun. Żeby głęboko weszło i żeby coś wyszarpało z wnętrzności. Nie mam takich pytań. Moje pytania są błahe, miałkie, zaraz rozpylą się w powietrzu.

- Państwo pozwolą, że usiądę - mówię. - Zmęczonym. Obszedłem dwadzieścia mieszkań. Obejdę cały dom. Jaka to ulica?

Ulica nazywa się Warskiego. Na Wierzbnie. Numer domu - 21. Rok temu było tu pole. Do czerwca stanął dom. W lipcu sprowadzili się ludzie. Z całej Warszawy. Różni ludzie, pan wie, ludzie jak ludzie. Przydział z kwaterunku.

Wodzę okiem po ścianach, a starsza pani mówi: – Jestem zachwycona tym mieszkaniem. Chciałam napisać do gazety pochwałę. Wszystko takie ładne, zgrabne, miłe. Jak cacko.

Zgadzam się. Naprawdę cacko. Pięć lat temu łaziłem po Muranowie od drzwi do drzwi z tym samym pytaniem: „Jak się mieszka?". Na głowę sypał się tynk, ciekły rury, podłogi pęczniały brzuchato. Rodziny wprowadzały się do nowych mieszkań i zaczynały od remontu. Ludzie płakali ze szczęścia i klęli gorzko. Starannie wykonywało się wtedy gzymsy – nie wnętrza. A tu jest dom roku 1960. Tamten Muranów i to Wierzbno: postęp zawrotny! Więc przyłączam się do pochwały. Dla architekta i wykonawcy. Architekt miał normę 34 metry kwadratowe na jedno mieszkanie. Z tego budowało się dawniej pokoik na 14 metrów, katakumbowy korytarz i ciemną kuchenkę. A teraz mądry krojczy wymierzył dwa gustowne pokoiki, łazienkę i kuchnię. Jest też korytarzyk i meblościanka, i są pakamery. Jakoś to wszystko zmieścił.

Kiedy tak się pozachwycaliśmy – poszedłem dalej. Pod numerem 32 mam to, czego szukałem. Młode małżeństwo, mała Joanna. Ich pierwsze mieszkanie. Przez trzy lata dzielili kocem pokoik z inną rodziną. Kuchnię dzierżawiło rodzin cztery. A teraz ona mówi: – Jestem w siódmym niebie. – Oboje pracują w Polskim Radio. On jest technikiem.

Sądziłem, że ich los będzie typowy: żałosna klitka dawniej i to jasne mieszkanie – teraz. Ale nie! Takich jest mało, może 20 procent. Ktoś mieszkał w mikroskopijnej służbówce, ktoś w zaciekającej suterenie. Ale najbardziej typowy wariant zamiany polega nie na przeniesieniu z warunków złych do dobrych, ale z mieszkań zupełnie znośnych do jeszcze lepszych. Trochę to zaskakuje, jeśli się pamięta, w jakich pomieszczeniach żyje w tym mieście wiele tysięcy rodzin. A jednak nie dostają mieszkań w pierwszej kolejności. Trzymam się ściśle przykładu naszego domu. Kto miał priorytet w otrzymaniu nakazu?

Blisko połowa – to przesiedleńcy z domów przeznaczonych do rozbiórki. Jakaś tam kamienica krzyżowała plany architektoniczne, mieszkańców wyprowadzono, dom zburzono. Jedni się z tego cieszą: to młodzi. Kupią nowe meble, urządzą pokoje po swojemu, wezmą na raty telewizor i pralkę. Starsi zmianą nie zawsze są zachwyceni, bo przyzwyczaili się do tamtych mieszkań, gorszych, ale o znajomym zapachu. Tu wchodzą w inną społeczność lokatorską, nieznaną im, obcą, i trochę obawiają się nowych znajomości. Tam razem przeżyli powstanie, lata powojenne, często i przedwojenne, zżyli się, poznali, a tu się dobrze nie poznają, bo człowiek jest stary, to pan wie. Więc kiedy młodsi pójdą do pracy, babcie nie mogą, jak to było w dawnej kamienicy, zejść się na plotki. Babcie się nie znają, siedzą same po mieszkaniach. I jest im nudno.

Tak mają się sprawy z rozbiórkowiczami. Druga połowa mieszkańców dostała przydział, bo są wysoko notowani w swoich instytucjach. Trzy czwarte lokatorów to inteligencja. Jedna czwarta - robotnicy. Ale nie ma czarnoroboczych. Jeśli już robotnik, to wysokich kwalifikacji (tokarz precyzyjny, monter tranzystorów) albo znacznego stanowiska (majster, szofer pana rektora). Zupełny brak wśród lokatorów elementu bumelanckiego, pijackiego czy lumpiarskiego. Do tego domu nie przychodzi milicja, nie ma awantur, nikt nie pyta górala, czy mu nie żal. To pracowici obywatele, wysłużeni emeryci, awansująca młodzież.

Ludzie sprowadzili się w deszczowe lato. Było błoto, wozy z meblami grzęzły w glinie. Potem meble wędrowały na piętro. No właśnie - meble. Jest 71 mieszkań. Zaledwie w kilku - próba nowoczesnego rozwiązania wnętrz. Jedna naprawdę udana kawalerka, cztery inne mieszkania z nowymi, lekkimi meblami. Reszta - jak Bóg dał, a kieszeń pozwoliła. Króluje niepodzielnie wysoki połysk, makatki z jeleniami, porcelanowe tygrysy. Ciężka artyleria monstrualnych szaf, buduarowych tremo, masywnych stołów. Skargi gospodyń: „Miałam taki piękny kredens, mogłam w nim ustawić serwis kryształów, i co - musiałam sprzedać, bo się już nie mieścił". A wiele mieszkań urządzonych jest z ubogą, koszarową prostotą: żelazne łóżko, stolik, szafka i taborety. Wszędzie radia, z reguły tanie, kilka telewizorów. Może dziesięć mieszkań ma biblioteki. Płyt nie widziałem.

Pytałem: - Czy pani (pan) kogoś tu zna? - Raz mi odpowiedziano: - Nie znam i nie chcę znać. We własnej kamienicy to lepiej nie mieć znajomości. - Było to merytoryczne wyjaśnienie faktu stwierdzonego empirycznie: nikt tu nikogo nie zna. Można dowolnie tasować lokatorów, wprowadzać ich i wyprowadzać - życie domu nie zmieni się na jotę. Mieszkańcy domu nie stanowią powiązanej grupy, zebrał ich pod jednym dachem przypadek, nic ich nie wiąże.

Takie oto sprawy nizam sobie w notesie. Drobiazg, mały realizm, sardynki. Ktoś ma za daleko do pracy, komuś nie udaje się przybić obrazka do ściany, bo ściany są z płyt betonowych. Może to zresztą ważne, jak pani myśli, pani Guzowska? Muszę wykrzyczeć to pytanie, bo babcia już minęła siedemdziesiątkę i trochę ma ze słuchem kłopoty. Mieszka sama w pięknej kawalerce, Polska Ludowa daje jej renty 527 złotych. Trzy lata już nie pracuje, a kiedy pracowała, była wartownikiem na budowie. Czy miała karabin? Nie, nie dali karabinu, ostatni raz nosiła broń w 1905 roku, w rewolucję. Wtedy jej mąż walczył, bo był partyjny. Wzięli ślub w tym pamiętnym roku piątym, a za miesiąc męża wsadzili do cytadeli razem z Okrzeją, bo ten Okrzeja to też był partyjny, a w dodatku rzucił bombę na Skałona. Babcia poszła na plac Teatralny ze sztandarem. Tam kozacy wycięli naród szablami, nie było żadnego pardonu. Tedy piękne lata babci są związane ze Śródmieściem i dlatego nie bardzo chciała tu przyjść, bo ze Śródmieścia na Mokotów za daleko. Babcia uważa, że powinna być weteranem, i nie wie, do kogo odwołać się, żeby ją weteranem zrobili. Z domu jeśli wychodzi, to po zakupy, bo tak to nie ma po co. W kinie była ostatnio trzy lata temu, a więcej nie chodzi, bo kino nic nie daje.

W sąsiedniej klatce mieszka pani Józefa Zyzek, która cały okres dwudziestolecia międzywojennego pracowała w Hotelu Europejskim na Krakowskim Przedmieściu. Jest z tego dumna, bo hotel to była reprezentacja. A jakże, pamięta Kiepurę, Szalapina, królową rumuńską, syna Mickiewicza i jasnowidza Ossowieckiego. Jasnowidz był z nich najsłynniejszy.

A mieszkanie? Tak, mieszkanie jest piękne. I Warszawa tu ładna.

Warszawa jest miastem Zofii Backiel. A Zofia Backiel jest praprawnuczką Jana Kilińskiego. Jan Kiliński to już nie żyje 141 lat. Na Woli miała domek z ogródkiem, ale tam budują osiedle, więc dali jej to mieszkanie. Po Janie Kilińskim nie zachowała pamiątek, wszystko zginęło w powstaniu. Na Woli znała sąsiadki, a tu – nikogo. Bo tu się sprowadzają same jakieś ludzie wiejskie, widać, że z prowincji. (Omyłka, prawie wszyscy mieszkańcy tego domu są rdzennymi warszawiakami. Ale to nie szkodzi.)

Trafnie zostało powiedziane, że ten naród żyje historią. Że nasze dzieje pracowały na wieczne powodzenie Kraszewskiego. Wszystkie rozmowy schodzą rychło na wojny, na powstania, na rewolucje. I na przekór tym doświadczeniom, kompleksom i obsesjom postawiono ten dom. Wojna nie stawia domów. A dom się udał. Jest na co patrzeć. Jest komu zazdrościć.

Sztywny

Szosą pędzi samochód. Pośród zmierzchu źrenice lamp wypatrują mety. Tak, meta już blisko: Jeziorany, 20 km. Jeszcze pół godziny jazdy i koniec. Wóz ciągnie do celu, ale jest to jazda na słowo honoru: stara maszyna nie wytrzymuje długiej trasy.

Na dnie ciężarówki leży trumna.

Czarne pudło okala girlanda kaprawych aniołków. Najgorzej na wirażach: pudło przesuwa się i może przygnieść nogi tym, którzy siedzą na burcie.

Szosa gnie się teraz w ślepe zakręty, podchodzi w górę. Motor wyje o kilka tonów wyżej, potem zaczyna czkać, zachłystuje się i gaśnie. Znowu defekt. Z szoferki wychodzi umorusana postać. To Zieja – kierowca. Wczołguje się pod wóz, szuka uszkodzenia. Z tego ukrycia oczernia poroniony świat. Spluwa, kiedy rozgrzany smar kapie mu na twarz. W końcu wypełza na środek szosy, żeby otrzepać się i powiedzieć:

– Klops. Nie ruszy. Wolno palić.

Co tam palić. Nam chce się płakać!

Jeszcze dwa dni temu był Śląsk, kopalnia „Aleksandra-Maria". Temat wymagał rozmowy z kierownikiem hotelu robotniczego. Zastałem go w gabinecie, kiedy objaśniał coś sześciu młodym dryblasom. I ja się przysłuchałem.

Oto sprawa:

W czasie odstrzału osunęła się bryła węgla i przygniotła górnika. Ciało wydobyto, ale już doszczętnie zmasakrowane. Nikt nie znał bliżej zabitego. Pracował w kopalni zaledwie 2 tygodnie. Ustalono personalia: nazwisko – Stefan Kanik, wiek – 18 lat. Ojciec mieszka w Jezioranach, na Mazurach. Dyrekcja porozumiała się telefonicznie z tamtejszą Radą Narodową. Okazuje się, że ojciec jest sparaliżowany, nie może przyjechać na pogrzeb. Prośba władz Jeziorańskich: czy nie można by przewieźć zwłok do miasteczka? Dyrekcja kopalni wyraża zgodę, daje samochód, poleca kierownikowi hotelu robotniczego znaleźć sześciu ludzi do konwoju trumny.

To są ci wezwani.

Pięciu godzi się, jeden odmawia: nie chce tracić na zarobku. Powstaje luka. Czy mogę jechać na szóstego? Kierownik kręci głową: redaktor w roli karawaniarza? Pierona, to ci afera!

Ta pusta szosa, ten wrak ciężarówki, to powietrze bez smugi wiatru.

Ta trumna.

Zieja wyciera szmatą zaoliwione ręce.

- No i co? - pyta. - Mieliśmy być na wieczór.

Leżymy na krawędzi rowu, w trawie pociągniętej patyną kurzu. Boli grzbiet, bolą nogi, pieką oczy. Sen wprasza się na kompana. Ciepły, łaszący, nachalny.

- Śpimy, chłopy - mówi miękko Wiśnia i kuli się w kłębek.

- No i co - zagaduje znowu Zieja - śpimy? A co z tamtym?

Niełądnie, że przypomina. Sen ugodzony tym pytaniem stygnie, cofa się. Leżymy w udręce zmęczenia, a teraz, także niepokoju i niepewności, zapatrzeni tępo w niebo, którym przepływa srebrna ławica gwiazd. Mamy coś postanowić.

Mówi Woś:

- Zostaniemy do rana. Rano któryś pójdzie do miasta, sprowadzi traktor. Nie ma się co śpieszyć, nie piekarnia.

Mówi Jacek:

- Do rana nie można czekać. Lepiej to załatwić szybko, jak najszybciej.

Mówi Kostarski:

- Wiecie, jakbyśmy go tak wzięli i zanieśli? Chłopak był mikry, trochę go zostało pod węglem. Ciężaru dużego nie ma. Do południa będziemy kwit.

Ta myśl jest szaleńcza, ale najlepsza! Nagiąć bary i taskać. Jest wczesny wieczór, drogi nie więcej niż 15 kilometrów, oczywiście, że doniesiemy. Zresztą nie tylko o to chodzi. Skurczeni na krawędzi rowu, odepchnąwszy pierwszą pokusę snu, czujemy z dojmującą pewnością, że nieruchome czuwanie z trumną niemal nad głową, wśród wszechobecnego mroku, wobec zdradliwego zaczajenia krzaków i głuchego milczenia horyzontów na każdy nasz krzyk i wezwanie, że to apatyczne, ale pełne męczącego napięcia wyczekiwanie świtu byłoby nie do zniesienia. Już lepiej iść, lepiej go dźwigać! Przyjąć jakąś czynną postawę, poruszać się, mówić, burzyć ciszę emanującą od czarnej skrzyni, udowodnić światu i sobie, przede wszystkim sobie, przynależność do królestwa żywych, w których intruzem, obcą i niepodobną już do niczego kreaturą jest on, ten zaśrubowany, ten sztywny.

Zarazem też, godząc się na wysiłek targania, upatrywaliśmy w nim jak gdyby formę ofiary składanej zmarłemu na odczepnego, aby uwolnił nas od swojej obecności, natarczywej, okrutnej i upartej.

Ciężko zaczyna się ten marsz z trumną na grzbiecie. Świat oglądany z tej pozycji kurczy się do małego wycinka: wahadło nóg poprzednika, czarny płat ziemi, wahadło własnych nóg. Mając wzrok uwięziony w tym ubogim krajobrazie człowiek odruchowo wzywa na pomoc wyobraźnię. Tak, ciało jest spętane, ale myśl pozostaje wolna!

– Jakby teraz ktoś jechał i nas dojrzał, toby musiał nawiać.

– Wiecie, jak się zacznie ruszać – rzucamy i zjeżdżamy.

– Żeby tylko nie było deszczu. Jak namoknie, to się zrobi ciężki.

Nie, deszczu nic nie zapowiada. Jest ciepły wieczór, niebo olbrzymie i czyste unosi się nad uśpioną ziemią, wysyłającą w przestrzeń cykania świerszczy i miarowy postuk naszych kroków.

– Siedemdziesiąt trzy, siedemdziesiąt cztery, siedemdziesiąt pięć – liczy kroki Kostarski. Przy dwustu następuje zmiana. Trzech przechodzi na lewo, trzech – na prawo. Potem na odwrót. Kant skrzyni, ostry a twardy, wgniata się w mięśnie barku. Od szosy skręciliśmy w leśną drogę, idziemy skrótem, niemal nad brzegiem jeziora. Po godzinie nie uszliśmy więcej jak trzy kilometry.

– Jak to jest? – zastanawia się Wiśnia. – Ktoś ginie i zamiast iść do piachu, kręci się po ziemi i męczy innych. Mało tego. Oni się męczą, żeby on mógł się kręcić. Jak to jest?

– Gdzieś pisało – powiada Jacek – że w wojnę, w Rosji, na polach bitew, kiedy topniał śnieg, ukazywały się sterczące w górę ręce. Jechałeś drogą i widziałeś tylko śnieg i te ręce. Masz pojęcie: tylko to. Człowiek, jak się skończy, nie chce zejść drugim z oczu. To ludzie go chowają przed swoim wzrokiem. Żeby mieć święty spokój, chowają go. Sam by się im nie usunął.

– Tak jak ten nasz – mówi Woś. – On by z nami szedł po całym świecie. Tylko go wziąć. Nawet myślę, że można by się przyzwyczaić.

– I pewnie – drwi z tyłu Gruber – zawsze każdy sobie weźmie coś niepotrzebnego na kark. Jeden karierę, drugi króliki, trzeci żonę. To my możemy jego.

– Nie mów o nim źle, bo cię kopnie w ucho – ostrzega Woś.

– Nie będzie taki groźny – uspokaja się Gruber. – Cały czas jest grzeczny. Pewnie był równy.

Ale właściwie nie wiemy, jaki naprawdę był. Żaden z nas nie oglądał go na oczy. Stefan Kanik, lat 18, zginął w wypadku. Nic więcej. Teraz możemy też dodać, że ważył jakieś 60 kilo. Młody, szczupły chłopak. Reszta jest tajemnicą. Jest domysłem. I oto ta zagadka, która obrała tak niewidomy i nieznany kształt, ten obcy, ten sztywny, włada szóstką żywych, zagarnia ich myśli, wycieńcza ich ciała i w chłodnym, nieprzeniknionym milczeniu przyjmuje składaną mu daninę wyrzeczenia, uległości, dobrowolnej zgody na tak dziwacznie uformowany los.

– Jak był równy, to nie szkodzi tyrać – stwierdza Woś – a jak aplegier, to go zaraz do wody.

Jakim był! Czy można ustalić takie fakty? Tak, na pewno! Targamy go chyba piąty kilometr i utoczyliśmy już beczkę potu. W ten szczątek zainwestowaliśmy więc masę trudu, nerwów, spokoju. Ten wysiłek, ta nasza cząstka przechodzi na sztywnego, podnosi jego walor w naszych oczach, jednoczy nas z nim, brata poprzez granicę życia i śmierci. Ustępuje wzajemna obcość. Staje się nasz. Nie chluśniemy go do wody. Skazani na coraz dotkliwiej odczuwany ciężar, będziemy wypełniać dalej, aż do zupełnego końca, swoją misję.

Las podchodzi nad brzeg jeziora. Jest mała polanka. Woś zarządza odpoczynek i zaczyna robić ognisko.

Zaraz strzela płomień zuchwale i swawolnie. Rozsiedliśmy się naokoło, ściągając mokre, kwaśno pachnące koszule. W rozedrganym, pulsującym blasku widzieliśmy swoje twarze zalane potem, swoje nagie, wilgotne torsy i podbiegłe krwią obrzęki na barkach. Z ogniska koncentrycznymi falami rozchodził się żar. Musieliśmy się cofnąć. Teraz najbliżej ognia znalazła się trumna,

– Trzeba odsunąć mebel, bo zacznie się podpiekać i cuchnąć – powiedział Woś.

Postawiliśmy trumnę nieco dalej, w krzakach, a Pluta nałamał gałęzi i okrył ją szczelnie.

Siedzieliśmy przy ognisku, oddychając jeszcze ciężko, pokonując napór snu i uczucia niesamowitości, prażąc się w cieple i rozkoszując się tym cudownie wyczarowanym z ciemności widokiem światła. Zapadaliśmy w stan bezwładu, opuszczenia, drętwoty. Noc zamykała nas w celi odciętej od świata, od innych istnień, od nadziei.

Właśnie w tym momencie usłyszeliśmy wysoki, przeraźliwy szept Wiśni:

– Cicho! Coś idzie!

Nagły, nie do wytrzymania skurcz strachu. Lodowate szpilki wchodzą w plecy. Mimowolnie kierujemy wzrok w krzaki, w stronę trumny. Jacek nie wytrzymuje: przywiera głową do trawy i wyczerpany, głodny snu, dotknięty atakiem przerażenia, zaczyna szlochać. To przywraca nam przytomność. Pierwszy odzyskuje ją Woś, dopada Jacka, szarpie nim i zaczyna go tłuc. Bije strasznie, aż szloch chłopaka przechodzi w jęk, w przeciągłe, niskie westchnienia. Woś odstępuje wreszcie, opiera się o pień drzewa, zawiązuje but.

Tymczasem głosy wyłowione przez Wiśnię stają się wyraźne, zbliżają się do nas. Słychać urywek melodii, śmiech, pokrzykiwanie. Nasłuchujemy. Wśród tej pustyni mroku nasza karawana odnajduje ludzki ślad! Głosy są już zupełnie blisko. Wreszcie widać i sylwetki. Dwie, trzy, pięć.

To jakieś dziewczęta. Sześć, siedem.

Osiem dziewcząt.

Po pierwszych obawach i wahaniach – zostały. W miarę jak zawiązywała się rozmowa, zaczęły przysiadać koło ognia, przy nas, tak blisko, że wystarczyło wyciągnąć ręce, by je obejmować. Było nam dobrze. Po tym wszystkim, co mieliśmy za sobą, po dniu ciężkiej jazdy, wykańczającego marszu, targania nerwów, po tym wszystkim, a może właśnie wbrew temu – było nam dobrze.

– Też z wycieczki? – pytały nas.

– Też – kłamał Gruber. – Piękny wieczór, co?

– Piękny. Po prostu go przeżywam. Jak każdy.

– Nie każdy – powiedział Gruber. – Są tacy, którzy go nie przeżyją teraz ani potem. Nigdy.

Patrzyliśmy na dziewczęta. W kolorowych sukienkach, z nagimi ramionami, śniade od słońca, a teraz w blasku płomienia na przemian złote i brunatne, o spojrzeniach na oko obojętnych, ale przecież wyzywających i czujnych zarazem, dostępne i nieosiągalne, patrzyły na smużący się ogień, najwyraźniej poddając się temu dziwnemu i nieco pogańskiemu nastrojowi, jaki wywołuje w ludziach ognisko palone nocą w lesie. Spoglądając na nieoczekiwanie przybyłą gromadkę, czuliśmy, jak poprzez otępienie, senność i wyczerpanie zaczyna przenikać i wypełniać nas wewnętrzne ciepło. Pragnąc go, byliśmy jednocześnie zaniepokojeni niebezpieczeństwem, jakie niosło z sobą. Cała konstrukcja, która motywowała potrzebę i celowość niezwykłego wysiłku na rzecz kogoś, kto już nie istnieje – ta konstrukcja chwiała się teraz. Po co ta szarpanina, ten trud, kiedy nadarza się wielka okazja? Ponieważ łączyliśmy się ze zmarłym tylko poprzez odczucia negatywne, teraz, poddawszy się nowemu nastrojowi, mogliśmy zerwać ze sztywnym tak absolutnie, że wszelki dalszy mozół konwojowania trumny wydawałby się nam jawnym idiotyzmem, czymś, co by nas tylko ośmieszało.

Woś, który po incydencie z Jackiem pozostał chmurny i nie przyłączył się do flirtów, odciągnął mnie na bok.

- Będzie źle - szeptał - jeden z drugim pójdą za kiecką jak nic. A jak kogoś zabraknie - nie podźwigniemy. Może być głupia draka.

Z tego oddalenia, niemal dotykając łydkami ścian trumny, obserwowaliśmy scenę na polance. Na pewno pójdzie Gruber. Kostarski, Pluta - nie. A Jacek? Oto znak zapytania. Z gruntu nieśmiały chłopak, który nie zacznie, dopóki nie zacznie dziewczyna, speszy się jej pierwszą odmową, ustąpi przed jej pierwszym „nie". Mając przez to niewiele okazji chwyta mocno każdą, która mu się nadarzy.

- Jacek pójdzie na mur beton - powiedział Woś.

- Chodź do ognia - odparłem - nic tu nie wymyślimy.

Wróciliśmy. Pluta dorzucił drewien. „Pamiętasz, była jesień..." - śpiewały dziewczęta. Czuliśmy się dobrze, ale zarazem nieswojo. O trumnie nie pisnął nikt słowem, ale ta trumna stała. Różniliśmy się od dziewcząt świadomością jej istnienia, jej paraliżującego uczestnictwa.

Stefan Kanik, lat 18. Ktoś, kogo tu brak i kto w tym samym momencie jest najbardziej obecny. Wystarczy wyciągnąć rękę, aby objąć dziewczynę, ale wystarczy także przejść kilka kroków, aby pochylić się nad trumną, a między tym, co jest najpiękniejszym życiem, a tym, co jest najokrutniejszą śmiercią - jesteśmy my.

Był nam nieznany ten sztywny i dlatego łatwo mogliśmy go sobie utożsamiać z każdym chłopakiem, jakiego kiedykolwiek zdarzyło się spotkać na świecie. Tak, to był ten, ten na pewno. Stał w oknie, w rozpiętej kraciastej koszuli, spoglądając na jadące samochody, słuchając pogwaru rozmów, patrząc na przechodzące dziewczyny, którym wiatr rozwiewał bombiaste spódnice, odsłaniając biel wysztywnionych halek, tak skrochmalonych, że można je stawiać na podłodze jak chochoły. A potem wyszedł na ulicę i spotkał swoją dziewczynę, i szedł z nią, kupując jej dropsy i najdroższą lemoniadę „Murzynek", a potem ona kupowała mu truskawki i byli na filmie *Wakacje z Moniką*, gdzie aktorka o trudnym nazwisku rozbiera się przed aktorem o trudnym nazwisku, czego jego dziewczyna nie zrobiła przy nim ani razu. A potem całował ją w parku, wypatrując kątem oka zza jej głowy i jej niedbale rozrzuconych włosów, czy nie idzie milicjant, który zabrałby legitymację i posłał do szkoły albo chciał dwadzieścia złotych, a oni nie mieli razem więcej jak pięć. A potem dziewczyna mówiła: - Musimy już iść - ale nie wstawała z ławki, mówiła: - No chodź, bo już późno - i przytulała się jeszcze bardziej, a on zapytał: - Wiesz, jak się całują motyle? - i przysunął swoje rzęsy do jej policzka, i zaczął nimi szybko poruszać, co musiało ją łaskotać, bo się śmiała.

Być może spotykał ją jeszcze często, ale w naszej wyobraźni ten naiwny i banalny obraz był jedynym i ostatnim, a potem widzieliśmy już tylko to, czego nie chcielibyśmy nigdy widzieć, nigdy, aż po ostatni dzień naszego życia.

A kiedy odepchnęliśmy od siebie tę drugą, złą wizję, było nam znowu dobrze i wszystko nas cieszyło: ogień, zapach rozgniecionej trawy, to, że wyschły koszule, sen ziemi, smak papierosów, las, wypoczęte nogi, pył gwiezdny, życie - życie najbardziej.

W końcu poszliśmy dalej. Spotkał nas świt. Ogrzało nas słońce. Myśmy szli. Gięły nam się nogi, drętwiały ramiona, puchły ręce, ale przecież donieśliśmy na cmentarz, do grobu - tej ostatniej naszej przystani na świecie, do której raz tylko zawijamy, nigdy już z niej nie wypływając - tego Stefana Kanika - lat 18 - zabitego w tragicznym wypadku - przy odstrzale - przez bryłę węgla.

Drzewa przeciw nam

Najpierw nie podobało nam się, ale potem przywykliśmy. Już potem, kiedy tyle razy otarliśmy rękawem ciepły pot, kiedy czyściliśmy buty, tak żeby słońce gasło z zazdrości, kiedy ryliśmy okopy, raz, dwa, trzy, kiedy były za nami te i jeszcze inne rzeczy, cały szaleńczy trening, cała burzliwa metamorfoza, która jednego z drugim cywila przemienia w żołnierza, aż serce rośnie! A mimo to nie cieszyliśmy porucznika. „Wojsko – żalił się przed sprężonym szeregiem – z takim wojskiem daleko by nie zaszedł". Nigdy nie zwierzał się jednak, dokąd to mianowicie chciałby z nami dotrzeć. Ale wiedzieliśmy, że mówi retorycznie: nie było gdzie iść.

Byliśmy otoczeni lasem. Ten las był niezmierzony, nieprzebyty, przepastny. Gdzieś musiał się kończyć, gdzieś był jego skraj, ale myśmy do granicy drzew nigdy nie dotarli. Widzieliśmy tylko las i mieszkaliśmy na jego obszarze: w ceglanych koszarach, prawe skrzydło korytarzem do samego końca. Nie lubiliśmy drzew, ich zapachu, drapieżnych gałęzi i zdradliwych korzeni, ale przede wszystkim nie lubiliśmy ich niemal biurokratycznej obojętności, kamiennie niewzruszonego trwania, szyderczego lenistwa, w którym tkwiły, kiedy my – żyjąc od nich znacznie krócej – musieliśmy tracić czas na marsze dofrontowe, na czyszczenie broni i śpiewanie piosenki „Płyneeeli po morzu i fali...". Drzewa były zawsze przeciw nam. Przesłaniały słońce i strącały śnieg za kołnierze. Myliły nam drogę, a przeciwnikom pozwalały zgotować zasadzkę. Tłukły gałęziami o szybę i huczały nocą tak, że nawiedzały nas niespokojne sny. Przeklinaliśmy drzewa. Więziły nas w swym labiryncie i przesłaniały widok granicy, za którą zaczynał się tamten świat.

Mieliśmy wspólne zdanie o miejscu, w którym wypadło nam odbywać służbę. Rozkazy, czynności, ubiór i nawet jedzenie upodabniały nas do siebie. Świadomi obowiązującej tu jednolitości wiedzieliśmy, że dotyczy ona nie tylko stroju, ale także gestów i słów, a może nawet myśli. Człowiek nie ubiera się w mundur dzieckiem. Ma już za sobą lata życia, w których nauczył się rzeczy dobrych i złych, mądrych i idiotycznych. Każdy nauczył się i czegoś innego, i w różnym stopniu. Nabył przy tym rozlicznych przyzwyczajeń, nawyków, manier. Wszystko to składa się na jego indywidualność dodatnią lub ujemną, wybitną czy mierną. Człowiek ceni sobie to, że jest inny od innych. A zwłaszcza lubi swoje przyzwyczajenia. Kiedy znajdzie się w koszarach – musi się z nimi rozstać. Zrozumiałe, że czyni to z ociąganiem, że owo pomniejszanie jest procesem dotkliwym i drastycznym.

Mieliśmy to za sobą. Ze zdumieniem odkrywaliśmy w sobie cechy, które powinny radować porucznika. „Co kładziesz się – mówił jeden drugiemu – przecież masz brudny karabin!" Byliśmy żołnierzami – mówcie, co chcecie.

Ale ta nasza wspólnota myśli, odruchów i nastrojów rozpadała się na granicy leśnego świata. Kiedy wyobraźnia wyrwała się poza nią, stawaliśmy się znowu każdy kimś innym i – boję się tych słów – wzajemnie sobie obcy. Ten świat zewnętrzny, który nas ukształtował i który miał znowu nas przyjąć, przedstawiał nam się – prawem kontrastu do wojskowej sztampy – jako planeta o niesłychanym bogactwie krajobrazów, barw, dźwięków i zapachów. Tam było życie takie, jakie każdy z nas dla siebie pojmował: radość i smutek, deszcze i słońce, tramwaj, sputnik, pierwsze przebiśniegi, etiuda Szopena, kobieta w łóżku, film *Cena strachu*, Utrillo z białego okresu, ćwiartka czystej duszkiem, spacer z dzieckiem, latoś obrodzi mi pszenica, biust Lollobrigidy albo Hanki, Kryśki czy Stefy, rozstania i powroty, Berlin, plany Nasera, pralka, spór z dyrektorem, całkiem porządne buty za 340, zazdrość, dyplom inżyniera, śmierć wujka, wanna z ciepłą wodą, premia na Barbórkę, kufel piwa, znowu jesteś moja, *Słownik wyrazów obcych* – II wydanie, człowiek przechodzący ulicą.

Ten świat pociągał nas albo oburzał, ale wszystko było w nim odczuwalne, miało swoją właściwość, z którą niejako mogliśmy wchodzić w związki, stwarzając nowe wartości albo zmieniając charakter istniejących. Wszystko tam pulsowało, zmieniało swoje położenie, podlegało wiecznemu prawu ruchu i działania. Było tam wiele światła, za którym tak tęskniliśmy skazani na posępny cień lasu. Wiele pragnień i wiele zaspokojeń, pokus i rozczarowań – wszystkiego, co składa się na życie, jakie świadomie albo mimowolnie zostało nam dane.

Uciekając razem do tego świata, już wiedzieliśmy, jak on nas zróżnicuje. Odruchowo, spoglądaliśmy po sobie: ten będzie znowu chłopem, a ten inżynierem, tamten szefem, a inny woźnym. Kiedy się znowu spotkamy? I w jakiej sytuacji?

Byliśmy przyjaciółmi. Zawarliśmy przymierze w trudnej szkole. Tępiliśmy w sobie zło i nieraz operacja ta była dojmująco bolesna. Nie można było żyć poza kolektywem. Ale wejść do niego znaczyło wnieść jakąś wartość, coś, co by wzbogacało innych, co by było przydatne. Świat poza granicą lasu kusił, ale pisane nam było bytować pośród pni, pod zieloną kopułą gałęzi, i musieliśmy tę egzystencję uczynić znośną i strawną.

Niekiedy stawaliśmy się rozdrażnieni. „Człowiek był wolny – powiadaliśmy. – Mógł łazić, gdzie chciał i jak chciał. Po pracy czas należał do niego. Na całym świecie czas należy do ludzi. Wszyscy mogą wybierać, co z nim zrobić". „Nie wszyscy – zaprotestował ktoś nagle. – Żołnierze nie mogą. Nigdzie". Był wieczór i las nękany wichurą zachowywał się nieznośnie. Pomyśleliśmy o innych żołnierzach. O szeregowcach wszystkich armii świata. O naszym Bożymie, który w tę czarcią noc miał wartę, o Wani, który pucował teraz swój automat na Czukotce, o żołnierzach Fidela Castro, którzy na pewno piją dziś na umór, bo pocili się nie na darmo. Pomyśleliśmy o indyjskich strzelcach stojących w kolejce do kotła i o rekrucie ghańskim, kiedy szoruje brzuchem bagno po komendzie: padnij.

To właśnie my – szeregowcy z całego świata – wstajemy o jednej godzinie, gimnastykujemy się pod wszystkimi stopniami szerokości geograficznej, strzelamy do figur, trafiając lub pudłując, maszerujemy, nie wiedząc dokąd i po co, ścielemy łóżka jak złoto, zmywamy latryny, tęsknimy za przepustką, odpowiadamy: tak jest, a także oddajemy honory według zaleceń regulaminów napisanych w najrozmaitszych językach.

Rozumiemy paradoks, w jaki jesteśmy uwikłani: trzymamy w ręku broń, gdy ludzie marzą o świecie bez jednego karabinu. Wiemy i to, że stoimy pod różnymi sztandarami. Że dzielą nas granice i systemy i że dlatego właśnie nie może być między nami braterstwa, choć wspólna jest nasza koszarowa egzystencja, jednaka konieczność posłuchu, ten sam obowiązek, jaki nakłada mundur.

Rano wychodziliśmy na plac ćwiczeń. Znajdował się na dużej polanie doszczętnie zrytej przez starsze roczniki zdobywające tu umiejętności saperskie. Myśmy też orali tę polanę pracowicie. Zbrylona ziemia nie chciała ustępować i musieliśmy zanurzać w niej żądła kilofów. Z trudem formowaliśmy linię okopów. Zanim jednak przystąpiliśmy do tego dzieła, należało wybrać stanowisko.

Ten, któremu powierzono rolę, wystąpił i palnął bez namysłu:

– Nasza linia obrony przebiegać będzie od tego krzaka do tego pieńka.

Podobał się nam wybór. Sądziliśmy, że było to najdogodniejsze miejsce do przyjęcia walki. Ale porucznik był zgorszony.

– Dajcie spokój – powiedział – tak nie wolno robić. Trzeba przepełzać tę linię na pępku, metr po metrze. Nie można stać – przecież nieprzyjaciel strzela. Rwą się pociski, giną ludzie. Wyobraźcie to sobie – apelował.

Otóż właśnie to się nam nie mieściło w głowie. Ani wtedy, ani nigdy potem. Nie umieliśmy sobie wyobrazić wojny. Spoglądaliśmy wokół: szumiał las, wiatr miotał białym puchem, na polanie była cisza, a na jej dnie chrzęściliśmy butami w śniegu. Nasza wyobraźnia nie mogła zrodzić żadnego obrazu grozy i zmagań. Nie byliśmy w stanie wywołać bodaj mglistej wizji: zbiorowy mord, zgrzyt bagnetu o kość, ludzkie strzępy w kałuży lepkiej krwi. Widzieliśmy tylko las, polanę i śnieg. Nic więcej.

Czy to było lenistwo myśli? Szczególna bierność, przemęczenie i apatia? Szukam wytłumaczenia, ponieważ mnie samego to zastanawia. Być może odezwał się w nas wówczas jakiś odruchowy protest przeciw umieszczaniu w tym krajobrazie panoramy wojny. Jakiś biologiczny opór przed ujrzeniem siebie – choćby w myślach – z przestrzeloną czaszką, z parą urwanych nóg. Sądzę jednak, że ów brak wyobraźni wojskowej brał się z pewnej niewiary w możliwość zaistnienia sytuacji, jaką porucznik chciał przedstawić. W skrytości posądzaliśmy go o pewną naiwność. W naszym przekonaniu – a wynieśliśmy je z lektur polityków i uczonych – w wypadku konfliktu światu grozi zagłada. Może nastąpić unicestwienie totalne, niemal kosmiczne. Tego również nie mogliśmy sobie wyobrazić, ale pozbawieni wiedzy ścisłej snuliśmy dowolne fantazje: w dyskusjach zdołaliśmy ustalić, że czeka nas wówczas przedziwna śmierć, śmierć niejako laboratoryjna. Nastąpi jakiś chemiczny proces, momentalny i unicestwiający, coś w kształcie podmuchu czy niewidocznej zmiany składu powietrza, i my się roztopimy, wyparujemy. Po co okopy, zasieki, maskowanie stanowisk ogniowych?

Czy będzie miało wówczas znaczenie, że nadaliśmy butom odpowiedni połysk? Że mamy w ładownicach przepisową ilość amunicji? Czy pozostanie bodaj tyle czasu, żeby można było to sprawdzić? Oto co nas dręczyło. Znaliśmy ostrzeżenie rzucone światu przez uczonych i polityków: nie łudźcie się. Tej wojny nie da się sprowadzić do walki na bagnety. Jej styl, jej technika nie znajdzie odpowiednika w dziejach. Fakt posiadania przez obie strony broni masowej zagłady stawia pod znakiem zapytania możliwość wykorzystania doświadczeń drugiej wojny światowej i wszystkich innych wojen, jakie zanotowała historia. Zostało to stwierdzone w dziesiątkach książek podpisanych przez najwyższe autorytety. Gdzie jest prawda? Być może autorytety się mylą, a rację ma porucznik. Być może rację mają obie strony. Bardzo chcieliśmy to wiedzieć. Ale nie była to pora na stawianie pytań. Dłubaliśmy okop, zastanawiając się mimo woli: czy nas ocali?

Technika wojenna jest dziś najbardziej rozwiniętą techniką świata. Każde wielkie odkrycie naukowe zostaje natychmiast schowane pod czapkę wojskową jak pod klosz. Ludzkość broni się przed totalną zagładą. Ludzkość posiadła jej świadomość. Któryś z nas opowiedział zdarzenie ze swojego miasteczka: Była tam fabryczka włókiennicza. Pracowały w niej dziewczęta z wiosek. W dniach interwencji amerykańskiej w Libanie rzucały pracę i wyjeżdżały do domów. Powtórzyło się to w czasie konfliktu tajwańskiego. Dziewczęta nie byłyby nawet w stanie pokazać na mapie, gdzie leży Liban. Czy to daleko, czy blisko? Na jakim to kontynencie? Gdziekolwiek na ziemi zawiąże się walka, zapach prochu dociera do naszych nozdrzy. Specе wydłużyli tory pocisku, a rakiety mogą opasać równik w diabelnie krótkim czasie.

W tym nowym świecie, świecie całkowitego zagrożenia, w świecie tysiąca bomb nuklearnych, elektronowej artylerii przeciwlotniczej i rakiet zdalnie kierowanych, my, szeregowcy, uzbrojeni w karabin i łopatkę, chcieliśmy znać swoje miejsce.

Na razie kopaliśmy okop. I choć nieco wbrew powinnościom, wkrótce powróciliśmy do swoich zwykłych, codziennych rozmyślań. O pokoju, a nie o wojnie.

Niekiedy porucznik prowadził nas godzinami po lesie. Błądził celowo przesiekami, a my, posługując się mapą, musieliśmy określić miejsce, w którym nas zatrzymał. Mówiło się: określać miejsce swego stania. Swoje miejsce na ziemi. Była to czynność dosyć łatwa, mapy mieliśmy dokładne, do tego nabraliśmy wprawy. W czasie tych zajęć mój sąsiad z szeregu, Grzywacz, odezwał się:

– Popatrz, jakie to proste: kreślę trzy linie, a ich przecięcie daje mi wymagany punkt – tu jestem. W tym zakątku kuli ziemskiej stoi szeregowy Grzywacz Kazimierz. Znalazł swoje miejsce na świecie. Boże, gdyby tak można było w życiu. Tak łatwo znaleźć sobie w życiu miejsce.

Tym westchnieniem odsłaniał swoją tajemnicę. Przyszedł do wojska na ochotnika. „Tu mnie skleją" – obiecywał sobie. Potrzebne mu to było. Mieszkał w Szymborzu, małym śląskim miasteczku. Skończył szkołę, liznął jakiegoś technikum, ale musiał je przerwać, żeby iść do pracy i pomóc matce. Zaczął w kamieniołomach, ale wkrótce je zamknięto. Poszedł do fabryczki zapałek, naraził się majstrowi i został zwolniony. Próbował urządzić się we Wrocławiu, nie wyszło. A więc to życie jego, Grzywaczowe życie, ma nieudany, kulawy bieg. Żadnej stabilizacji, żadnego unormowania. Ludzie pną się ku górze albo poprzestają na małym, ale ustalonym, on natomiast po prostu nie ma swojego miejsca. Ani z niego chuligan, ani rozmiłowany włóczykij. Tylko pechowiec. Tylko trefny. W jakimś momencie jego kółko wypadło z kolein i dotąd nie może powrócić na swój tor.

Grzywaczowi dobrze jest w wojsku: ktoś o nim myśli, daje mu zajęcie, dba o jego żołądek. Ale przede wszystkim nieokreślona przedtem egzystencja Grzywacza została ujęta w formę. Przestał się niepokoić. Wyzbył się poczucia niepewności, wypełniającej go i płoszącej wszelką radość.

Jest to natura wykonawcy, żywiołowo poszukującego swego szefa. Nie umie podejmować decyzji, wybierać, ryzykować – rozgląda się w tym za wyręczycielem. Znalazłszy go – jest mu posłuszny, psio, bezgranicznie oddany. Na rozkaz reaguje odruchowo, rzuca się do działania bez namysłu. Ciągle jednak musi mieć ten zasilający go z zewnątrz bodziec. Inaczej traci równowagę, chodzi oklapnięty. Grzywacz – z powodu tych właściwości charakteru – jest stałym źródłem konfliktów, jakie niekiedy przeżywa pluton. Bo ludzie zachowali tu wyniesioną z cywila dozę sceptycyzmu, pewną powściągliwość i jak gdyby rezerwę: robić, ile trzeba, ale po co zdwajać tę normę? Wykonywaniu poleceń nie towarzyszyło owo wewnętrzne napięcie, skłaniające człowieka do działania z najwyższą gorliwością. Wyróżnianie się in plus było traktowane przez niektórych za niewątpliwy przejaw lizusostwa, a wyróżnienie in minus – za frajerstwo i nieudolność życiową. Należało – według tych filozofów – zachować konieczne poczucie proporcji, nie narzucać się ze swoją twarzą i korzystać z tej anonimowości, jaką daje mundur i czapka głęboko nasunięta na oczy.

Grzywacz nie wytrzymywał. Kiedy szliśmy tyralierą, wyrywał się do przodu i wszyscy, klnąc, musieli przyspieszać, zadyszani i znużeni. Prace gospodarcze wykonywał tak szybko i tak dokładnie, że nasze wyniki wyglądały mizernie, jeśli nie kompromitująco. Filozofowie strofowali zapaleńca. „Gdzie się pchasz?" – zapytywali, pukając w czoło. Nie byli tolerancyjni. Nie chcieli pojąć, że Grzywacz nareszcie odnalazł swoje powołanie, swój żywioł. Że odżył, nabrał ufności do siebie, poczuł twardy grunt. Filozofowie mieli schorzałe wątroby i radość życia – tak piękna i pociągająca – budziła w nich niesmak. Za wzór stawiano Grzywaczowi Hryńcię.

Mieliśmy obliczyć kąt, pod jakim wzgórze, na którym staliśmy, opada w stosunku do poziomu ziemi. Istnieje dla tego kąta wzór i całe zadanie można rozwiązać w pół minuty. Porucznik dał trzy minuty i skończyliśmy oczywiście przed czasem. Ale Hryńcia zdążył jedynie podpisać kartkę. W białym miejscu, gdzie miało znaleźć się wyliczenie, porucznik postawił 2.

– Gdzie wyście się chowali, Hryńcia? – zapytał.

– W puszczy, panie poruczniku.

Śmiech, porozumiewawcze oczka. Ale to prawda. Hryńcia jest z Białowieży. W zagubionej na bezkresach wsi uprawia kawałek ziemi i pędzi bimber. Na ten bimber zawsze nas zaprasza. Trzeba do niego pojechać tam na miejsce, bo na smak Hryńci świeży produkt pije się najlepiej. Kiedyś wywaliło mu beczkę z zacierem, dwa wilki nażarły się tej zabójczej mazi i zdechły. Dostał za nie dwa tysiące od państwa. A więc i takie zarobki poboczne też ma. Hryńcia to cwaniak nad cwaniaki, ale na sposób chłopski, nie warszawski. Stąd jego spryt jest cichy, idzie podskórnie, bez wymądrzania, bez pozy. Hryńcia cały wysiłek obraca na to, żeby się wyrwać z wojska, żeby wrócić do wioski.

– Tam, panie poruczniku, siano niezwiezione. Teraz jest mróz, toby się dobrze woziło, bo stoi na bagiennej łące. Jak ciepło – nie dojedziesz.

Te molestacje kończą się jednak fiaskiem: porucznik nie może nikogo zwolnić.

– Co ja tu robię, panie poruczniku? – perswaduje Hryńcia. – Toć ja za głupi na te nauki. Ja – analfabeta. Przed wojną miałem trzy klasy, ale co ja umiem?

Nie umie nic. Tylko się podpisze, ale gazety już nie przeczyta. U lekarza symuluje na uszy. „Jak ci mówią – na – to słyszysz, jak daj – to nie słyszysz" – śmieje się lekarz. Hryńcia jest tępy do nauki, ale co ważniejsze – nie chce się uczyć. Kiedy jest czas na wkuwanie i każdy grzebie w notatkach, on otwiera swój zeszyt na czystej kartce i siedzi. Drzemie albo rozmyśla. „Czego się nie uczysz?" – pytamy. „To nie jest na moje pojęcie" – odpowiada. Przy tablicy udaje skończonego ciemniaka. „Narysujcie kąt A" – mówi porucznik. Hryńcia stoi. „Czego nie rysujecie?" „A ja wiem, co to ten kąt?" Po jakimś czasie osiąga swoje: przestają go pytać, przestają nagabywać. Wiadomo: chłop z puszczy, analfabeta, cóż tu wymagać?

Ma odtąd świetne życie. W połowie XX wieku, który nasyca życie coraz bardziej zawrotną techniką, który podnosi rangę wiedzy, wieku sputników, telewizorów i cybernetyki – Hryńcia wygrywa, idąc przeciw temu powszechnemu dążeniu. Nie chce w nim uczestniczyć. Nie chce nawet wiedzieć, o co chodzi. Niemal zamyka oczy, niemal zatyka uszy. Trochę boi się jednego: te nowości urzekają. Jak się im poddasz, życie na jego wsi – bez światła, bez traktora, z piątką dzieciaków w jednej izbie – zacznie uwierać, stanie się nie do zniesienia. Lepiej się nie zarażać tą miastowością. A Hryńcia chce wrócić na swoją ziemię, do pługa i do bimbru, do tego siana, stojącego na bagiennej łące, które można by teraz zwieźć, bo mróz, a potem jak przyjdzie ciepło, nie da się dojechać i zgnije.

Grzywacz i Hryńcia – to były skrajności plutonu, dwa bieguny, zamykające swoimi ramionami całą przeciętną resztę. Nie brakowało jej odcieni. W wojsku postawy ludzi określają się szybko. Ileż jest tu sytuacji sprawdzających wartość człowieka!

Kiedy opuszczaliśmy na dobre koszary, zdawało nam się, że nie powrócimy tu nigdy, nawet myślą, i że kres naszej przyjaźni jest nieodwołalny. Ale – nie! Przechowujemy swoje adresy, pamiętamy imiona i zdarza się, że odnajdujemy w tłumie swoje twarze. Zaczyna się rozmowa. Niepostrzeżenie znika wówczas ulica, domy, przechodnie, a hałas miasta zagłusza szum drzew. Znowu jest las, niezmierzony las, bez końca, bez wyjścia, zielony świat, rześwy zapach sośniny, soki krążące w pniach, zdradliwe, zwidlone korzenie i my – zagubieni i milczący, z karabinami na przygiętych ramionach.

Busz po polsku

Ogień dzielił nas i łączył. Chłopak dorzucił drewien, płomień poszedł wyżej, rozjaśnił twarze.

- Jakie jest imię twojego kraju?

- Polska.

Polska była daleko, za Saharą, za morzem, na północ i na wschód. Nana powtórzył głośno. Dobrze? - zapytał. Dobrze - odpowiedziałem. - Właśnie tak.

- Tam jest śnieg - odezwał się Kwesi.

Kwesi pracuje w mieście, w Kumasi, teraz przyjechał na urlop. Raz w kinie na ekranie padał śnieg. Dzieciarnia biła brawo i wśród śmiechu wołała: - anko! anko! - żeby jeszcze pokazali śnieg. Jakie to fajne: białe kłębki sypią i sypią. Bardzo szczęśliwe są te kraje: nie muszą uprawiać bawełny, bawełna leci z nieba. Mówią na nią - śnieg, i depczą po niej, a nawet wyrzucają do rzeki.

Utknęliśmy w przygodnym miejscu. Szofer, mój przyjaciel z Akry - Kofi - i ja. Było już ciemno, kiedy trzasnęła opona. Stało się to na bocznej drodze, w buszu, koło wsi Mpango, w Ghanie. Za ciemno, żeby naprawiać. Nie macie pojęcia, jak czarna może być noc. Wyciąga się rękę i tej ręki nie widać. Tutaj są takie noce. Poszliśmy do wsi.

Przywitał nas Nana. W każdej wsi jest Nana, bo Nana to znaczy naczelnik. Naczelnik jest jakby sołtysem, ale ma większą władzę. Jeżeli chcesz się żenić z Maryną, sołtys nie może ci przeszkodzić, a Nana może. Ma on za sobą Radę Starszych. Zgrzybialcy wiecują, rządzą, roztrząsają spory. Jak młody się zbuntuje, musi uciekać do miasta. Kiedyś Nana to był bóg. A teraz jest niepodległy rząd w Akrze. Rząd wyda ustawę i Nana musi wykonać. Nana, który nie wykonuje, jest jaśniepański i go usuwają. Wielki Nana jest wodzem plemienia, zwykły Nana jest wodzem klanu, a mały Nana jest naczelnikiem wsi. Często Nana jest równocześnie czarownikiem. Wtedy dzierży dwuwładzę: ciał i dusz. Rząd stara się, aby wszyscy Nana byli partyjni, i wielu Nana jest sekretarzami organizacji partyjnych w swoich wsiach.

Nana z Mpango był kościsty i łysy, o wąskiej sudańskiej wardze. Kofi przedstawił siebie, szofera i mnie. Wyjaśnił, skąd jestem, i że mają mnie traktować jako przyjaciela.

– Ja go znam – powiedział – to Afrykańczyk.

Jest to najwyższy komplement, jaki może spotkać Europejczyka. Wszędzie otwierają mu wtedy drzwi.

Nana uśmiechnął się i uścisnęliśmy sobie ręce. Z Naną trzeba się zawsze witać, ściskając jego prawą dłoń naszymi dwiema. W ten sposób wyrażamy mu szacunek. Posadził nas przy ognisku, gdzie właśnie obradowali starcy. Powiedział z przechwałką, że często obradują, co mi nie było dziwne. To ognisko płonęło w środku wsi, a po lewej i prawej stronie, wzdłuż drogi, paliły się inne ogniska. Tyle ognisk, ile chat, bo w chatach nie ma kuchni, a trzeba gotować. Może ze dwadzieścia. Więc widać było ogniska, poruszające się postacie kobiet i mężczyzn, zarysy glinianych domków, wszystko pogrążone na dnie nocy tak ciemnej, że aż odczuwało się ją jak ciężar, jak duszność.

Zniknął busz, a przecież busz był wszędzie, zaczynał się o sto metrów stąd, nieruchomym masywem, zbitą chropowatą gęstwą otaczał wieś, nas, ognie. Busz krzyczał i płakał, tąpał i trzaskał, żył, istniał, płodził się i zagryzał, pachniał omdlałą zielenią, straszył i kusił, można było go dotknąć, poranić się i zginąć, ale nie dał się oglądać, tej nocy nie dał się widzieć.

Polska.

Nie znali takiego kraju.

Starcy patrzyli na mnie niepewnie albo podejrzliwie, niektórzy z zaciekawieniem. Chciałem jakoś przełamać tę nieufność. Nie wiedziałem jak i byłem zmęczony.

– Gdzie leżą wasze kolonie? – spytał Nana.

Kleiły mi się oczy, ale teraz oprzytomniałem. Często tak pytali. Pierwszy zagadnął mnie kiedyś Kofi. Tłumaczyłem mu. Było to dla niego odkrycie i odtąd czyhał zawsze na pytanie o polskie kolonie, żeby w krótkim wywodzie ujawnić jego absurdalność.

Kofi odparł:

– Oni nie mają kolonii, Nana. Nie wszystkie białe kraje mają kolonie. Nie wszyscy biali to kolonialiści. Musisz wiedzieć, że biali byli często kolonialistami dla białych.

To brzmiało szokująco. Starcy drgnęli, cmokali: cu, cu, cu – dziwili się. Kiedyś ja się dziwiłem, że oni się dziwili. Ale nie teraz. Nie cierpię tego języka: biały, czarny, żółty. Mit rasy jest wstrętny. O co tu chodzi? Że ktoś jest biały, to ważniejszy? Jak dotychczas, najwięcej łobuzów miało białą skórę. Nie widzę, z czego się cieszyć czy martwić, że się jest takim czy siakim. Na to nie ma nikt wpływu. Wszystko, co jest ważne, to serce. Nic więcej się nie liczy.

Kofi tłumaczył później:

– Przez sto lat uczyli nas, że biały to coś ponad, to super, ekstra. Mieli swoje kluby, swoje baseny, swoje dzielnice. Swoje dziwki, auta, swój bulgocący język. Wiedzieliśmy, że na świecie jest tylko Anglia, że Bóg jest angielski, a po całej ziemi poruszają się tylko Anglicy. Wiedzieliśmy ledwie to, co oni chcieli, żebyśmy wiedzieli. Teraz trudno się oduczyć.

Z Kofi byliśmy sztama, nie poruszaliśmy już tematu skóry, ale tu, wśród nowych twarzy, sprawa musiała odżyć.

Jeden stary zapytał:

– Czy wszystkie wasze kobiety są białe?

– Wszystkie.

– Czy są piękne?

– Są bardzo piękne – odparłem.

– Wiesz, Nana, co on mówił? – wtrącił Kofi. – Że kiedy u nich jest lato, ich kobiety rozbierają się i leżą w słońcu, żeby dostać czarnej skóry. Te, które stają się ciemne, są z tego dumne, a inni podziwiają, że opalone jak Murzynki.

Bardzo dobre! No, Kofi, toś trafił świetnie! Rozruszałeś ich na dobre. Grzybom oczy się śmieją do tych ciał rumienionych w słońcu, bo wiecie, jak jest – mężczyźni są na całym świecie tacy sami: podoba im się to. Starcy zacierali ręce, cieszyli się, ciała kobiet w słońcu, tu ogień wypędzał im reumatyzm, mościli się w swoich obszernych kente wzoru rzymskich tóg.

– Mój kraj nie ma kolonii – powiedziałem. – A był taki czas, kiedy mój kraj był kolonią. Szanuję wasze cierpienia, ale u nas było strasznie: były tramwaje, restauracje, dzielnice „Tylko dla Niemców". Były obozy, wojna, egzekucje. Nie znacie obozów, wojen i egzekucji. Tamto nazywało się faszyzmem. To najgorszy kolonializm.

Słuchali, marszcząc czoła i zamykając oczy. Dziwne rzeczy zostały powiedziane, myśli muszą to przetrawić. Dwóch białych, a nie mogą jechać jednym tramwajem.

– Powiedz, jak wygląda tramwaj?

Realia są ważne. Może nie mogą, bo ciasno. Nie ciasno, tu chodzi o pogardę. Jeden człowiek depcze drugiego. Nie tylko Afryka jest ziemią przeklętą. Każda ziemia może taka być. Europa i Ameryka, wiele miejsc na świecie. Świat zależy od ludzi. Oczywiście, ludzie dzielą się na typy. Na przykład człowiek w skórze węża. Wąż nie jest ani czarny, ani biały. Jest śliski. Człowiek w śliskiej skórze. To najgorsze.

– Nana, a potem byliśmy wolni. Budowaliśmy miasta, do wsi przychodziło światło. Kto nie umiał, uczył się czytać.

Nana wstał i uścisnął mi rękę. Reszta starców tak samo. Teraz byliśmy friends, druzja, amigos. Chciało mi się jeść. W powietrzu pachniało mięsem. Żadną dżunglą, palmą czy kokosem, tylko naszym schabowym za 11,60 w gospodzie na Mazurach. I duże piwo.

Zamiast tego jedliśmy kozę.

Polska –

– pada śnieg, kobiety w słońcu, brak kolonii, dawniej wojna, budują domy, ktoś kogoś uczy czytać.

Coś jednak powiedziałem – tłumaczyłem sobie. – Za późno na szczegóły, chcę spać, o świcie wyjeżdżamy, zostać, żeby zrobić wykład, to niemożliwe.

Ale nagle poczułem wstyd, jakiś niedosyt, uczucie po chybionym strzale. To, co zostało opisane, nie jest moim krajem. Zaraz: śnieg, brak kolonii – przecież racja. Ale to jest nic, nic z tego, co wiemy, co nosimy w sobie, nawet się nie zastanawiając, co jest naszą dumą i rozpaczą, życiem, oddechem i śmiercią.

– Więc – śnieg, to prawda, Nana, śnieg jest cudowny i straszny, wyzwala cię w górach na nartach i zabija pijanego pod płotem, śnieg, bo styczeń, ofensywa styczniowa, popiół, wszystko popiół – Warszawa, Wrocław i Szczecin, cegła, łapy marzną, wódka grzeje, człowiek układa cegłę, tu będzie stał tapczan, a tu szafa, lud wejdzie do śródmieścia, lód na szybach, lód na Wiśle, brak wody, jedziemy nad wodę, nad morze, piasek, lasek, upał, piasek, namioty i Mielno, śpię z tobą, z tobą, z tobą, ktoś płacze, nie tu, pusto i noc, więc płaczę, te noce, nasze zebrania do świtu, ciężkie dyskusje, każdy coś mówi, Towarzysze!, łuny i gwiazdy, bo Śląsk, piece, sierpień, siedemdziesiąt stopni przy piecach, tropik, nasza Afryka, czarna i gorąca, gorąca kiełbasa, dlaczego podajecie zimną, chwileczkę, kolega, czy kolega wstąpi, nie jazz, mooowa, Sienkiewicz i Kurylewicz, piwnice, wilgoć, to gniją kartofle, idźta, baby, okopać zimnioki, baby na Nowolipkach, proszę szybciej przechodzić, nie ma cudu, jak to, nie ma, jak to na wojence ładnie, dajcie spokój z tą wojną, chcemy żyć, cieszyć się, chcemy szczęścia, powiem ci coś, Ty jesteś moim szczęściem, mieszkanie, telewizor, nie, najpierw motor, kiedy to warczy, hałas, dzieci budzą się w parku, zamiast spać, takie powietrze, nie ma chmur, nie ma odwrotu, jeżeli pan Adenauer myśli, za dużo mogił, do bitki i do wypitki, czemu nie do pracy, jeśli nie nauczymy się, nasze statki pływają po wszystkich morzach, sukcesy w eksporcie, sukcesy w boksie, młodzież w rękawicach, mokre rękawice wyciągają z gliny traktory, Nowa Huta, trzeba budować, Tychy i Wizów, kolorowe domy, awans kraju, awans klasy, wczoraj pastuch, dziś inżynier, polibuda zawsze na gapę, ładne inżyniery, tramwaj w śmiech (powiedz, jak wygląda tramwaj), całkiem proste, cztery koła, pałąk, zresztą dosyć, dosyć, to jest szyfr, same znaki w buszu, w Mpango, klucz do szyfru leży w mojej kieszeni.

Wozimy go zawsze do obcych krajów, w świat, do innych ludzi, i jest to klucz naszej dumy i naszej bezsiły. Znamy jego schemat, ale nie sposób uprzystępnić go drugim. Zawsze będzie nie to, nawet jeśli bardzo się chce. Coś nie będzie powiedziane, to najważniejsze, najistotniejsze coś.

Opowiedzieć jeden rok mojego kraju, wszystko jedno który, rok 1957, powiedzmy, tylko jeden miesiąc tego roku, weźmy lipiec, tylko jeden dzień, choćby szósty.

Nie sposób.

A jednak ten dzień, miesiąc i rok istnieje w nas, musi istnieć, przecież wtedy byliśmy, szliśmy ulicą, kopaliśmy węgiel, cięliśmy las, szliśmy ulicą, jak opisać jedną ulicę w jednym mieście (może być Kraków), tak aby odczuli jej ruch, jej klimat, jej trwanie i zmienność, jej zapach i szum, tak żeby ją widzieli.

Nie widzą, nic nie widać, noc, Mpango, zwarty busz, Ghana, dogasają ogniska, starcy idą spać, my też zaraz (o świcie odjazd), Nana drzemie, gdzieś pada śnieg, kobiety jak Murzynki, myśli, uczą czytać, coś takiego powiedział, myśli, mieli wojnę, uuuch wojna, coś powiedział, tak, brak kolonii, brak kolonii, ten kraj, Polska, biały, a nie ma kolonii, myśli, busz krzyczy, dziwny ten świat.

Przypominamy recenzję *Busz po polsku,*
którą MAŁGORZATA SZEJNERT w 1976 roku napisała dla tygodnika „Literatura".
Po 46 latach od pierwszego wydania debiutanckiej książki
Ryszarda Kapuścińskiego recenzentka jest jeszcze bardziej przekonana,
niż 32 lata temu, że ten zbiór już zawsze powinien być wydawany w całości
ze wszystkimi jego wielkościami i małościami.

Busz po 15 latach

Piętnaście lat temu przeczytałam w „Polityce" reportaż pod tytułem *Wydma.* Czytałam go wiele razy, wreszcie umiałam na pamięć. *Wydmę odkrył Trofim. W pięćdziesiątym dziewiątym ważny z powiatu zapytał go: Pilnować umiecie? Trofim się zastanowił: Czemu nie? Na to ważny powiedział: Niech jedzie...*

Co w tym reportażu było? Co było w innych – w *Wymarszu piątej kolumny*, w *Reklamie pasty do zębów, Sztywnym*? Wszyscy je czytali, wszyscy o nich mówili. A przecież nie brakowało nam wtedy reportażystów, którym język służył jak należy, i nie brakowało faktów. Cieniutki zbiorek *Busz po polsku* ukazał się w tym samym roku co gruby tom *Dymisja dla anioła*, w którym najlepsi autorzy reportażu (wśród nich: Strońska, Roszko, Kozicki, Ambroziewicz) rozprawiali się w świetnych tekstach ze stereotypem Polski B. *Busz...* wywarł jednak większe wrażenie. Więc dlaczego? Skoro o tym rezonansie nie stanowiły język, chociaż niezwykle podatny, czasem zbyt już ekwilibrystyczny, i fakt, chociaż czasami szokujący, jak w *Sztywnym*, to może sposób widzenia rzeczywistości polskiej?

Zdarza się, że czytelnik reportażu podziwia autora – ileż on się zdołał dowiedzieć! Kapuścińskiego podziwiałam zawsze za to, ile on rozumie. Samo gromadzenie faktów wydawało się tu poza sprawą; ważne było, jak – wyszedłszy od zdarzeń – Kapuściński będzie nam tłumaczył kraj, w którym żyjemy. Jak nas będzie do niego przybliżał. Żadne inne świetne reportaże (dopiero po latach Hanny Krall – fakt, że do tej pory nie mamy zbioru Jej reportaży krajowych, zakrawa na skandal wydawniczy) nie budziły we mnie poczucia tak silnego związku z rzeczywistością polską jak teksty Kapuścińskiego. Kapuściński wyprzedził nas wszystkich w obserwacji potocznej, ukazał wagę drobnych realiów życia i gestów pozornie nieważnych. Składał swój obraz z kożuchów przepasanych drutem, z bezzębnych grymasów pratkowskich panienek, z pleśni na pieniądzach chowanych przez starą Augustę na czarną godzinę. To drastyczne widzenie detali było nowe. Ale Kapuściński dojrzewał w latach patosu, kształtowały go odbudowa, historia studiowana tuż po wojnie na Uniwersytecie Warszawskim, zetempowskie dyskusje światopoglądowe. Kapuściński opisuje kożuch przepasany drutem nie tak, jakbyśmy to dzisiaj robili – z dystansem. Opisuje go tak, że ten drut zaczyna nas uciskać. Komentuje to chłopskie odrutowanie Marksem i Heglem. Komentuje wojną i rozbiorami. Baranica i filozofia – to może śmieszyć, ale nie w *Buszu po polsku*. Prząśność i patos, fakt ulotny i perspektywa, pryncypialność i postawa reportera-brata łaty, zawsze jednak zaangażowanego, aż zgorączkowanego, klarowały się w reportaż przejmujący nas wszystkich – z tego pokolenia.

Po trzynastu latach „Czytelnik” wznowił *Busz po polsku* w Bibliotece Literatury Faktu XXX-lecia. Ta sama kolejność tekstów. Brak tylko trzech, uznanych widocznie za najsłabsze. Szkoda. *Busz...* jest utworem klasycznym i powinno się go wznowić w całości, z wszystkimi jego wielkościami i małościami. Gdyby „Czytelnik” chciał wznowić *Busz...* nie jako świadectwo, lecz jako lekturę, która ma i dzisiaj poruszyć odbiorców, trzeba by ten tomik bardziej okroić.

Reportaż jest znakiem czasu. Czas mija i reportaż mija. Można mijać tylko wolniej lub szybciej. Najdłużej zostanie to, co najgłębiej sięga człowieka. Fakt się wykrusza, sięgną po niego tylko dokumentaliści. Wykrusza się także komentarz – sięgną po niego z czasem tylko biografowie pokolenia i historycy gatunku.

Dla mnie w tomie *Busz po polsku* ocalały cztery reportaże, których tytuły wymieniłam poprzednio. Reszta jest już tylko tłem.

Z tego tła wyłania się jednak Kapuściński późniejszy, który chciał tłumaczyć nie tylko Polskę, ale i świat, i któremu się to udaje jak nikomu innemu. Czytelnik książki *Gdyby cała Afryka* znajdzie w *Buszu...* (i nie chodzi tu o ostatni reportaż, w którym autor spogląda na Polskę już z Ghany) myśli, które jakby zapowiadają późniejszą drogę autora. *Busz po polsku* w swej wrażliwości i patosie, w lapidarności i w retoryce przemawia żarliwą wolą współuczestnictwa i rozumienia. Kto chce zrozumieć własny kraj, ma szansę lepiej zrozumieć innych.

MAŁGORZATA SZEJNERT

(„Literatura" 15 stycznia 1976, nr 3)

Postscriptum. Busz po 46 latach

Busz po polsku wyszedł po raz pierwszy czterdzieści sześć lat temu, po raz drugi trzydzieści trzy lata temu, tegoroczne wydanie w Kolekcji „Gazety Wyborczej" jest siódme.

Pierwsze wydanie zawierało dwadzieścia reportaży, drugie – siedemnaście, trzecie – szesnaście, czwarte – znowu siedemnaście (ale dodano do niego nowy tekst *Ćwiczenia pamięci* – wspomnienie Ryszarda Kapuścińskiego o jego wojennym dzieciństwie). W trzech następnych zachowano wersję czwartego.

Oryginalna zawartość *Buszu* była więc dwukrotnie okrawana. Trudno dziś ocenić, w jakim stopniu wpływali na to wydawcy, a w jakim sam Autor. Tak czy inaczej, okrawanie zbioru świadczy o tym, że traktowali te reportaże w sposób, powiedzmy, użytkowy, tak jak normalne teksty do druku. Usuwali to, co wydawało się im naiwnie zaangażowane, bardzo już przedawnione, a na dodatek nie broniło się formą.

Najpierw ofiarą tej czystki padły: *Siły na zamiary*, *Słoneczny brzeg jeziora* i *Dom*.

Z doraźnego punktu widzenia zadecydowano słusznie, bo są to rzeczywiście najsłabsze kawałki, napisane pośpiesznie, raczej relacje lub obrazki niż reportaże. *Siły na zamiary* to życiorys człowieka, który – w dzieciństwie pastuch u kułaka, potem przodownik pracy w Nowej Hucie, działacz zetempowski i partyjny – wybił się ciężką pracą na profesurę. *Słoneczny brzeg jeziora* mówi o zawziętym chłopaku, który z podobnymi sobie zapaleńcami chce zmienić biedną wioskę Małdyty w ośrodek wodny. *Dom* opowiada o tym, jak reporter odwiedza lokatorów, którzy doczekali się mieszkań w nowym bloku. Kończy się słowami: „*Jest na co patrzeć. Jest komu zazdrościć*".

O takich reportażach mówiło się kiedyś „pozytywne", bo zawierały akceptację życia w PRL, ukazywały zwycięstwo pracy i optymizmu, odwoływały się do dobrych cech człowieka i nie węszyły po kątach.

Stopniowe zmiany rzeczywistości społecznej i politycznej, ciężkie doświadczenia marca i grudnia, dojrzewanie czytelników i autorów sprawiły, że słowa „reportaż pozytywny" coraz częściej brzmiały żartobliwie i nawet najbardziej prawomyślni PRL-owscy redaktorzy zastanawiali się, czy ich używać. Trzy wspomniane pozycje, które znikły z *Buszu* już w 1975 roku, nie powróciły więc w żadnym wydaniu. A mówiły tak wiele o oczekiwaniach propagandy wobec dziennikarza i o jego wysiłku, by wykonać zadanie z wiernością dla faktów i ludzkim głosem.

Banicja *Uprowadzenia Elżbiety* z trzeciego wydania musiała mieć inną przyczynę, bo to tekst odmienny od trzech poprzednich, przykry, dramatyczny. Autor interweniuje w sprawie trudnej do oceny i używa formy zbyt egzaltowanej. Musi wiedzieć, że tekst jest wodą na młyn oficjalnej niechęci do Kościoła, a jednak działa w najlepszej wierze, jest przekonany, że pomaga chorym i opuszczonym rodzicom bohaterki, która wybrała klasztor obojętny na losy jej bliskich.

Na szczęście ostał się *Wymarsz piątej kolumny,* który także można dziś uznać za niepoprawny. Ten bezlitosny, brawurowo napisany tekst o ucieczce dwóch Niemek z domu starców w Szczytnie nie uchronił się przed narzuconą wtedy przez propagandę, ale i powszechnie odczuwaną antyniemieckością. Nie byłoby dziwne, gdyby wydawcy ostatniego *Buszu* kręcili nad *Wymarszem* głowami, ale istnieją granice pomniejszania najcieńszego (i najgłośniejszego) zbioru reportaży, jaki wyszedł w powojennej Polsce.

Dzisiaj, czterdzieści sześć lat od pierwszego *Buszu...*, jestem jeszcze bardziej przekonana niż w 1976 roku (gdy pisałam przypomnianą dzisiaj recenzję do „Literatury"), że powinien on być już zawsze publikowany w całości z wszystkimi jego wielkościami i małościami. Dobrze, że Spadkobierczynie Autora (i Wydawnictwo Agora) zdecydowały się na to w tej Kolekcji. Wielkości tej małej książki trwają, upływ lat ich nie zmniejszył. A małości? *Busz* dwudziestu jeden reportaży (z tekstami, które w 1976 roku nazwałam tłem, bo ich poznawczej wartości nie byłam w stanie przewidzieć) jest dużo ważniejszy niż ten okrawany. Mówi o biednych czasach, w jakich powstawał, o naiwnych nadziejach i omyłkach Autora i rówieśników, o początkach jego języka. Im dalej od lat opisanych w *Buszu*, tym trudniej je pojąć. Trzeba nie lada wysiłku, żeby tym, co przyszli na świat po drugim wydaniu, wytłumaczyć jakoś PRL; można to porównać z mozołem Kapuścińskiego, który usiłuje wytłumaczyć Polskę wieśniakom z Ghany. *Busz* pierwotnych emocji i doświadczeń Autora pomaga nam zrozumieć drogę, jaką przez następne lata przebył on sam i ludzie z jego i najbliższych mu pokoleń. To oni ze swoimi wielkościami i małościami zadecydowali o tym, gdzie dzisiaj jesteśmy, i oddalili od Polski kluczowe słowo w tytule zbioru - busz, w którym zawsze rządzi silniejszy.

MAŁGORZATA SZEJNERT

Warszawa, styczeń 2008

MAŁGORZATA SZEJNERT jest dziennikarką. Współtworzyła „Gazetę Wyborczą" i przez 15 lat prowadziła w niej dział reportażu.
Autorka m.in. książek: *Szczecin: grudzień - sierpień - grudzień* (z Tomaszem Zalewskim), 1984;
Sława i infamia (rozmowa z prof. Bohdanem Korzeniewskim), 1988;
Śród żywych duchów, 1990; *Czarny ogród*, 2007

Spis treści

BIBLIOTEKA GAZETY WYBORCZEJ
Kolekcja wybranych dzieł Ryszarda Kapuścińskiego
pod redakcją Bożeny Dudko i Mariusza Szczygła

TOM 1
Cesarz
wstęp William Brand
posłowie John Updike

TOM 2
Heban
wstęp William Pike
posłowie Moses Isegawa

TOM 3
Busz po polsku
wstęp Barbara Chlabicz
posłowie Małgorzata Szejnert

TOM 4
Wojna futbolowa
wstęp Mirosław Ikonowicz
posłowie José Garza

TOM 5
Szachinszach
wstęp Dušan Provazník
posłowie Martin Pollack

TOM 6
Lapidaria I-III
wstęp Jerzy Łoziński
posłowie Beata Nowacka

TOM 7
Lapidaria IV-V
wstęp Julia Hartwig
posłowie Galder Reguera

TOM 8
Jeszcze dzień życia
wstęp Eugeniusz Rzewuski
posłowie Salman Rushdie

TOM 9
Autoportret reportera
wstęp Hanna Krall
posłowie Krystyna Strączek
suplement Ryszard Kapuściński
o dziennikarstwie

TOM 10
Wiersze zebrane
wstęp Silvano De Fanti
posłowie Claudio Magris
suplement rozmowa
Jarosława Mikołajewskiego
z Ryszardem Kapuścińskim
o jego poezji

TOM 11
Imperium
wstęp Sławomir Popowski
posłowie Adam Hoschschild

TOM 12
Podróże z Herodotem
wstęp Marek Węcowski
posłowie Maciej Zaremba
i Anders Bodegård

TOM 13
Cesarz. Postscriptum
Zbigniew Zapasiewicz
czyta „Cesarza” – audiobook

TOM 14
Wojna futbolowa. Postscriptum
Krystyna Czubówna czyta
„Wojnę futbolową” – audiobook

TOM 15
Szachinszach. Postscriptum
Jerzy Radziwiłowicz czyta
„Szachinszacha” – audiobook

TOM 16
Imperium. Postscriptum
Jerzy Trela
czyta „Imperium” – audiobook